Sbocciare nello splendore

Pubblicato da
Claritza Rausch-Peralta

Per ulteriori informazioni, contattare:

Claritza Rausch-Peralta

Email: Peralta.claritza@gmail.com

Numero di telefono: (267) 453-1426

Instagram: Claritzaperaltaa

Facebook: Claritza Rausch Peralta

Sbocciare Nello Splendore

Da: Claritza Rausch - Peralta

A:

____

Tra le braccia avvolgenti della grazia di Dio,
Ho trovato il coraggio di affrontare il mio passato, di lasciare andare il mio dolore e di bracciare un futuro pieno di gioia, perdono e amore.

Contenuti

Dediche

Questa dedica va al mio Padre Celeste, mi inchino umilmente davanti alla Tua grazia infinita e ti offro questa sincera dedica perché, in mezzo alle prove e ai trionfi, sei stato la mia luce guida, la mia incrollabile fonte di forza. Nei momenti di disperazione, hai sollevato il mio spirito, ricordandomi l'amore confinato che mi circonda, grazie mille per il tuo perdono e il tuo amore incondizionato.

Inoltre, a tutti coloro che si sono presi cura di me, in modi andi e piccoli, estendo la mia più profonda gratitudine. La tua gentilezza e il tuo altruismo hanno toccato la mia anima, illuminando i sentieri che percorro. Attraverso i tuoi atti di compassione, mi hai mostrato la bellezza dell'umanità e per questo ti sarò eternamente grato.

Nonna, sei un faro di amore e saggezza nella mia vita. Il tuo tocco gentile e le tue parole di incoraggiamento mi hanno asmato nella persona che sono oggi. Nel tuo abbraccio trovo conforto, sapendo che il tuo amore mi guiderà per sempre.

ultimo ma non meno importante, mio carissimo Liam, mio ezioso figlio, tu sei l'incarnazione della gioia e della speranza. elle tue risate trovo la forza e nei tuoi occhi innocenti vedo un uro pieno di infinite possibilità. La tua presenza nella mia vita i ha insegnato il vero significato dell'amore incondizionato, e ò per sempre fortunata ad essere tua madre, ti amo con tutto il cuore, ragazzo!

Gratitudine

Mentre rifletto sul mio viaggio, il mio cuore trabocca di gratitudine per le esperienze, sia gioiose che stimolanti, che mi ıanno plasmato nella persona che sono oggi. Sono onorato dalle zioni apprese, dalla crescita raggiunta e dalla forza scoperta lungo il percorso.

Dai giorni della mia infanzia a La Romana, nella Repubblica Dominicana,
lle prove e ai trionfi dell'adolescenza, ogni capitolo della mia vita stato una testimonianza di resilienza e determinazione. In tutto uesto, sono grato per il sostegno incrollabile dei miei cari e per l'incrollabile amore di Dio.

Esprimo profonda gratitudine per la donna che sono oggi, il resente, poiché è un dono che apprezzo perché ogni momento e passa offre un'opportunità per abbracciare la bellezza della vita per avere un impatto positivo nel mondo. Sono anche grato per benedizioni che mi circondano, l'amore della famiglia e degli mici, l'abbondanza di opportunità e la capacità di perseguire le mie passioni.

ardando al futuro, sono pieno di speranza ed entusiasmo. Sono to per i sogni che risiedono dentro di me, spingendomi avanti. Con la fede come guida, mi avvio con fiducia verso l'ignoto, endo che ogni sfida è un'opportunità di crescita e ogni battuta d'arresto è un trampolino di lancio verso il successo.

Soprattutto, il mio cuore è pieno di gratitudine per il potere de perdono. È attraverso il perdono che ho trovato la guarigione, liberazione e la pace interiore. Mentre lascio andare i rancori e abbraccio la compassione, mi apro a un mondo pieno di amore comprensione.

In questo libro celebro la bellezza del mio viaggio, la forza de mio spirito e il potere del perdono e della gratitudine. Possano queste parole ispirare gli altri ad abbracciare le benedizioni del propria vita, a superare le avversità e a promuovere uno spirito perdono. Siamo grati per ogni esperienza, perché ci hanno plasmato negli esseri magnifici che siamo oggi.

Introduzione

Nel mezzo delle tempeste più oscure della vita, esiste un raggio di peranza, un barlume di luce che ha il potere di trasformare anche anime più distrutte. Questa è una storia di trionfo sulle avversità, na testimonianza dell'insondabile amore e della grazia di Dio che possono infondere nuova vita negli stanchi e nei perduti.

Benvenuti a Blossoming into Radiance: un ricordo di come amore e la grazia di Dio mi hanno salvato la vita. Nelle pagine di uesto libro ti invito a intraprendere un viaggio, un viaggio che ti porterà attraverso gli abissi più profondi della disperazione e ti condurrà alle vette vertiginose della redenzione e del rinnovamento. Questo libro di memorie non riguarda la erfezione o una narrazione ben organizzata; riguarda gli aspetti disordinati, complicati e belli della vita che mi plasmano e mi rendono quello che sono.

Mi chiamo Claritza Rausch Peralta e fin da quando ero piccola ho sempre lottato per trovare la mia vera identità e navigare nella complessità dello scopo, dell'amore e delle relazioni. embrava un viaggio infinito, pieno di confusione e crepacuore. ttavia, nonostante tutto ciò, ho trovato conforto e appagamento ella mia fede in Dio. Crescendo, mi sono spesso sentito perso e icuro di chi fossi veramente, desideravo l'accettazione e l'amore, ma con ogni rifiuto e delusione, mi sentivo come se fluttuassi senza meta, alla ricerca di qualcosa che mi desse un senso di direzione e compimento.

Nei momenti più bui della mia esistenza, quando tutto sembrav
perduto, l'amore di Dio si è abbassato e mi ha abbracciato. La su
grazia risplendeva brillantemente tra le ombre, illuminando ur
percorso verso la guarigione e il ripristino. È stato attraverso il
Suo amore incrollabile che ho trovato la forza di affrontare il m
passato, di affrontare le mie paure e di abbracciare la
trasformazione che mi attendeva.

Vedi, Dio è l'autore supremo e sa esattamente come creare un
bella narrazione anche dai pasticci più intricati. Proprio come
uno scrittore esperto, sa come creare tensione, creare colpi di
scena e, alla fine, raggiungere una soluzione soddisfacente. Pu
trasformare il nostro pasticcio in un messaggio, il nostro dolor
in uno scopo e i nostri fallimenti in opportunità di crescita.

Quando confidiamo nel piano di Dio, possiamo trovare confor
nel sapere che Egli sta organizzando ogni cosa per il nostro ber
Potrebbe non avere sempre senso in questo momento, ma
possiamo stare certi che ogni capitolo della nostra vita è parte
una storia più grande e grandiosa. E proprio come ogni granc
storia, ci saranno momenti di risate, lacrime, amore e trionfo

šbocciare nello splendore è una testimonianza del potere della
·de, della resilienza e del potere redentore dell'amore di Dio. È una storia che porta un messaggio universale: non importa quanto ci sentiamo perduti o spezzati, non importa quanto ci siamo allontanati, c'è sempre speranza di restaurazione.

Con cuore aperto e spirito resiliente, condivido le prove e i rionfi che mi hanno trasformato nella persona che sono oggi. Dalle profondità di un'infanzia triste, attraverso le turbolenze ell'adolescenza, fino alla saggezza e alla forza che ho acquisito da adulto.

Ho preso la decisione di aprirmi nel modo più vulnerabile ssibile. Per me è importante condividere la mia verità, cruda e senza filtri, in modo che gli altri possano trovare conforto e nprensione nel proprio viaggio. Attraverso le pagine di questo ro, spero di ispirarti a credere nel potere miracoloso dell'amore di Dio.

Possa tu trovare il coraggio di affrontare i tuoi demoni e la za di superarli. Possa tu scoprire, come ho fatto io, che anche i zzi più frantumati della nostra vita possono essere trasformati in qualcosa di bello.

uindi ti invito a voltare pagina e intraprendere questo viaggio con me. Scopriamo insieme l'incredibile potere curativo e trasformativo dell'amore e della grazia di Dio.

ossa questo libro di memorie servire come un faro di speranza, guidandoti verso una vita luminosa e con uno scopo.

Prima parte

La mia infanzia

Io da bambina, nella Repubblica Dominicana

Mentre vivevo a Porto Rico

Vivere negli Stati Uniti

Avevo circa 5 anni in questa foto

Capitolo 1

Chi sono?

Nell'umile cittadina di La Romana, annidata nel cuore della Repubblica Dominicana, un'anima radiosa è nata in un giorno di novembre. Quell'anima ero io, anche se la mia vera identità sarebbe rimasta un mistero per gli anni a venire.

Sono stato accolto in un mondo pieno di amore e calore. O almeno così credevo. Non sapevo che il mio viaggio alla scoperta di me stesso stava per iniziare, svelando le complessità del mio passato e plasmando la persona che sarei diventata.

Vedete, fin dalla tenera età di soli nove mesi, mia madre biologica mi ha affidato alle cure amorevoli di mia nonna. Agli occhi di un bambino, mia nonna era tutto per me. La mia luce guida, la mia protettrice, mia madre. Ho goduto della gioia della sua presenza, ignaro dei segreti che giacevano nascosti sotto la superficie.

Fu solo alla tenera età di sette anni che la verità venne svelat
mandando in frantumi l'illusione a cui mi ero aggrappato pe
così tanto tempo. Mia nonna, la donna che avevo adorato e
venerato, non era la mia madre biologica. La rivelazione ha
mandato in shock il mio giovane cuore, lasciandomi con co
tante emozioni e domande.

Chi sono io, veramente? Da dove vengo? Queste domande
danzavano nella mia mente, alimentando dentro di me una
curiosità implacabile. E così è iniziato il mio viaggio alla
scoperta di me stesso, una ricerca per trovare i pezzi mancar
della mia identità.

Lo ricordo come se fosse ieri, il giorno in cui il mio mond
innocente è andato in frantumi in un milione di pezzi.

“Mamma Luisa” era tutto per me, lo è ancora. Il suo amor
era come una forza inarrestabile, che mi avvolgeva nel suc
abbraccio confortante. Era la mia luce guida, la mia roccia
la mia confidente. Ho apprezzato i nostri momenti insiem
sia che si trattasse di guardare insieme una "Novela", di
andare in chiesa con la mia "Madrina" Eroina, o di
prepararmi la colazione e portarmi a scuola "La escuelita"

Ma un giorno, la mia vicina, che per noi è come una
famiglia, si è seduta con me con un'espressione addolorata
viso e mi ha detto;

"Mamma Luisa non è la tua vera madre"

Ho faticato a comprendere la realtà che mi era stata nascosta per così tanto tempo. Le domande vorticavano nella mia mente, chiedendo risposte che sembravano appena fuori portata.

Chi era la mia vera madre? Perché questo segreto mi era stato nascosto? E soprattutto, perché faceva così male?

Prima di scoprire che mia nonna non era in realtà mia madre, da bambina ho avuto un'infanzia meravigliosamente felice.
Crescendo nel mio quartiere, conosciuto come "Los Multis Familiares",
Ero piuttosto un ragazzo popolare. La mia migliore amica, che era come una sorella, era Dorys, avevo amici ovunque e mi ritrovavo sempre a visitare le case dei vicini. In effetti, di tanto in anto vivevo anche con un paio di loro, dato che mia nonna aveva un visto e aveva bisogno di viaggiare avanti e indietro tra Porto Rico e Repubblica Dominicana.

Quelli sono stati davvero alcuni dei momenti migliori della mia vita.
Il calore e l'amore che ho sentito dai miei vicini è stato ncredibile. Mi trattavano come se fossero loro e mi sentivo come e avessi una famiglia allargata proprio lì nell'isolato. Giocavamo, ondividevamo i pasti e creavamo ricordi indimenticabili insieme.

Mia nonna, che all'epoca credevo fosse mia madre, si assicurava sempre che mi sentissi amata e accudita.
I suoi frequenti viaggi non hanno mai diminuito il legame che condividevamo, poiché tornava sempre con storie e doni che mi facevano sentire speciale e amato.

Scoprire la verità su mia madre biologica è stato un momento che m
ha cambiato la vita. È stato doloroso e confuso, per usare un
eufemismo,
è stato un vero shock per me. Era come se qualcuno avesse riordinat
tutti i pezzi del puzzle della mia identità e all'improvviso dovessi
capire dove mi trovavo.

Ho messo in dubbio tutto ciò che sapevo su me stesso, sulla mia
famiglia e sul mio posto nel mondo.

Ma non ha cambiato il fatto che mia nonna mi abbia insegnato il
potere dell'amore, della resilienza e dei legami indissolubili.

Dal momento in cui sono entrato nella sua vita, “Mamma Luisa” n
ha abbracciato a braccia aperte, inondandomi di calore e affetto.
Ha visto oltre la superficie e ha riconosciuto l'essenza del mio esser
Ha dedicato la sua vita a sostenermi ed edificarmi, anteponendo
sempre i miei bisogni ai suoi.

Anche quando siamo fisicamente lontani, posso sentire la sua
presenza nel mio cuore, guidandomi verso il cammino della
rettitudine.

Avrà sempre un posto speciale nel mio cuore, come la donna che r
ha amato incondizionatamente e ha plasmato la persona che sono
oggi.

Ma ciò non ha cambiato il fatto che, da bambino, mi sono trovato
alle prese con una miriade di emozioni. Non riuscivo a comprende
come qualcosa di così fondamentale, qualcosa che definiva la mia
stessa esistenza, mi fosse stato nascosto per così tanto tempo.

Capitolo 2

Una sorpresa che cambia la vita

"Mama Luisa" mi ha sorpreso con la notizia più incredibile che stiamo viaggiando a Porto Rico.

Un'ondata di pura gioia mi ha travolto quando ho realizzato immenso significato di questa opportunità di viaggiare con mia nonna in un posto così diverso dalla mia terra natale, la Repubblica Dominicana. Era la mia prima volta su un aereo ed ero piena di eccitazione e farfalle nello stomaco. Stavo per intraprendere un viaggio a Porto Rico e non vedevo l'ora di esplorare questa bellissima isola con mia nonna al mio fianco. apevo nel profondo della mia anima che questo viaggio sarebbe stato a dir poco trasformativo, ed è stato nel momento in cui ɔbiamo messo piede sull'isola, che si è formata una connessione inspiegabile.

ɔrto Rico mi ha accolto a braccia aperte. Quel primo giorno mi sono ritrovato circondato da zie e zii.
Alla loro presenza, ho sentito un profondo senso di partenenza, una profonda connessione con una parte di me che ɔettava di essere scoperta. Ero veramente felice. Più tardi mia zia nne a prendermi con la sua macchina, raggiante di eccitazione. ɔeva programmato un'uscita speciale per noi e non vedevo l'ora i vedere dove mi avrebbe portato. Mentre guidavamo lungo le vivaci strade di Porto Rico, mi ha raccontato tutto del suo ristorante a Piñones.

Nel momento in cui siamo entrati nel ristorante, sono stato accolto dal caldo aroma della deliziosa cucina portoricana. Le pareti erano adornate con vivaci opere d'arte, raffiguranti la ricca storia e cultura dell'isola. Ha insistito perché provassi il suo famoso mofongo, un piatto a base di purè di platani e una varietà di ripieni salati. È stato un vero capolavoro culinario, pieno di sapori che danzavano sulle mie papille gustative. Mentre mangiavo mi ha raccontato storie del suo percorso ne settore della ristorazione, mi ha detto che aveva anche un ristorante sulla spiaggia e che mi avrebbe portato nei fine settimana.

Ero davvero felice di essere a Porto Rico.

I colori vibranti, la calda brezza tropicale e i sorrisi accoglien della gente del posto mi hanno fatto sentire subito a casa. Ad ogni angolo che giravo, c'era qualcosa di nuovo da scoprire e esplorare. Ho lasciato Piñones con il cuore pieno di gratitudi e un ritrovato apprezzamento per la vivace cultura e le delizi culinarie di Porto Rico.

Quella notte, quando arrivai a casa mia, non sapevo che il destino aveva qualcosa in serbo per me, quando squillò il telefono di casa e, mentre rispondevo, una voce familiare m riempì le orecchie. Era mio zio, mi chiamava per dirmi di far trovare pronto domani
mattina perché mi stava portando a incontrare una persona speciale.

Chi potrebbe essere questa misteriosa persona speciale?
o immaginato tutte le possibilità, sentendo un senso di meraviglia ed eccitazione inondare il mio essere. Non sapevo che questo incontro avrebbe cambiato per sempre il corso della mia vita.

Quando siamo arrivati, ho scoperto che i miei occhi cercavano quella persona speciale che mio zio aveva detto che voleva che contrassi. Mentre mi guardavo intorno, c'era una donna che uscì casa sua per salutare mio zio. Lei gli chiese chi fosse la bambina e mio zio mi chiese se sapevo chi fosse.

Quel giorno ho incontrato la mia madre biologica.

giorno in cui ho incontrato mia madre è un ricordo che rimarrà sempre impresso nel mio cuore. Era un mix di emozioni, paura, nervosismo, incertezza. Non sapevo come reagire o cosa dire.

Avrei dovuto abbracciarmi forte, lasciando sfogare tutte le ozioni? Oppure avrei dovuto scoppiare a piangere, sopraffatto da ı'ondata di emozioni accumulatesi per anni? Forse avrei dovuto sussurrare a mio zio, chiedendogli se potevamo andarcene, entendomi troppo sopraffatta per affrontare questo momento.

in mezzo a tutti questi pensieri contrastanti, sapevo nel profondo e questa era un'opportunità che non potevo lasciarmi sfuggire.

Incontrare mia madre biologica è stato
un momento che aveva il potenziale per portare chiusura,
comprensione e senso di identità.

Ero scioccato. Mentre mi avvicinavo a lei, il cuore mi batteva for
nel petto. Era chiaro che anche lei era scioccata e stava aspettand
questo momento.

Ho fatto un respiro profondo, raccogliendo tutto il coraggio ch
avevo dentro di me, e ho allungato la mano per abbracciarla.

Le lacrime scorrevano lungo il mio viso. Non sapevo cosa dire.

In quel momento, ho capito che l'incontro con la mia madre biologica non riguardava solo me. Si trattava di abbracciare il passato, non importa quanto complicato o doloroso potesse esse stato.

Mentre entravo in casa sua, notai birre, sigarette e musica ad alt volume. Ero confuso. Mi sentivo strano.

Ho incontrato le altre mie sorelle e abbiamo trascorso il resto de giornata a parlare e a conoscerci.

E mentre guardavo mia madre le mie domande non facevano ch moltiplicarsi.

Perché ha scelto di andarsene? Quali erano le sue ragioni? Perché non ho avuto la possibilità di parlarle nella Repubblica Dominicana? E adesso che sono a casa sua perché c'è così tant alcol e sigarette in giro per casa? Hanno avuto un ruolo nella su decisione di andarsene? Erano un meccanismo di coping? O era semplicemente un riflesso delle sue lotte e difficoltà?

Ho affrontato l'argomento con il cuore aperto e il desiderio di capire. Sapevo che incolparla non mi avrebbe portato alla conclusione che cercavo. Invece, desideravo una connessione, un'opportunità per avere una conversazione e trovare una conclusione, ma mi sentivo ancora come se non appartenessi a questo posto.

Vedi, incontrare la tua madre biologica può essere un grosso problema per molte persone. È un momento spesso pieno di nticipazione, curiosità e forse anche un po' di ansia. Ma per me è stato diverso. Semplicemente non provavo la stessa eccitazione o desiderio di incontrare lei o chiunque altro.

nvece, il mio cuore desiderava mia nonna. È stata lei a nutrirmi, a segnarmi lezioni di vita e a farmi sentire sempre al sicuro e a mio agio.

Mi sentivo semplicemente soddisfatto della famiglia che già avevo.

Ho chiamato mio zio e gli ho chiesto di venirmi a prendere. Appena salito in macchina non ho potuto fare a meno di provare n senso di sollievo. Il peso di quell'occasione importante si è tolto alle mie spalle e sono stato finalmente in grado di elaborare tutto ciò che era appena accaduto.

Mentre guidavamo verso la casa di mia nonna, un'ondata di nozioni cominciò a travolgermi. I pensieri della mia infanzia, gli umerevoli ricordi e l'amore incondizionato che ho ricevuto da lei nno inondato la mia mente. Non potevo fare a meno di provare un travolgente senso di gratitudine per averla nella mia vita.

Quando arrivammo a casa, scesi dall'auto e la vidi aspettare sott il portico. La vista del suo caldo sorriso mi fece immediatament venire le lacrime agli occhi. Senza esitazione, corsi verso di lei l'abbracciai forte, incapace di contenere oltre il flusso di emozioni.

In quel momento, ho capito che non importava cosa fosse successo o cosa mi avesse portato a questo punto della mia vita Mia nonna era la mia vera madre, colei che era sempre stata lì amandomi e sostenendomi incondizionatamente ed è stato in quel momento che ho capito, senza dubbio, che l'amore di mi nonna sarebbe sempre stato il dono più prezioso della mia vita

Ma non sapevo che la mia vita stava per prendere ancora una volta una svolta inaspettata.

Un paio di mesi dopo, la mia famiglia mi ha fatto sedere e mi h dato gentilmente la notizia. Che mi sarei trasferita a Filadelfia p vivere con mia zia e che mi sarebbe piaciuto lì, perché aveva u figlia della mia età, e mi sarebbe piaciuto la neve.

Non riuscivo a comprendere la portata di questa decisione. Le domande mi attraversavano la mente come al solito e un misto di eccitazione e apprensione mi riempiva il cuore, ma c bambino di otto anni ovviamente ero entusiasta di vedere la neve.

Capitolo 3

Via Pennypack

Quando sono arrivato per la prima volta negli Stati Uniti,
cordo di aver sentito un brivido attraversarmi il corpo mentre
scendevo dall'aereo. Venendo da Porto Rico, un clima più
caldo,
Non ero del tutto preparato al freddo che mi ha accolto. Ma
on sapevo che il calore dell'amore di mia zia e l'eccitazione di
vedere lei e la sua famiglia che mi aspettavano all'aeroporto
avrebbero rapidamente sciolto ogni brivido persistente.

Ientre attraversavo l'aeroporto, il mio cuore batteva forte per
ıttesa. Erano passati anni dall'ultima volta che vedevo mia zia
: il pensiero di ricongiungermi con lei mi riempiva di gioia.
Non ho potuto fare a meno di sorridere quando ho visto il
suo volto familiare tra la folla. Sembrava proprio come la
ricordavo,
pelle bianca e bella. "Hola Clari" disse e mi abbracciò.

entre ci dirigevamo verso la macchina, la famiglia di mia zia
ıi ha accolto a braccia aperte e ampi sorrisi. Erano ansiosi di
ncontrarmi quanto io di vederli. Ho incontrato suo marito,
sua figlia, suo figlio e ho rivisto Melissa. Me la ricordavo
perché l'avevo conosciuta nella Repubblica Dominicana,
quando una volta andava con sua mamma.

Finalmente, dopo quella che sembrò un'eternità, ero arrivat a Pennypack Street. Mentre scendevo dall'auto e osservavo ciò che mi circondava, non potevo fare a meno di provare un senso di eccitazione e anticipazione. Questa sarebbe stat la mia nuova casa e non vedevo l'ora di esplorare tutto ciò che aveva da offrire. Ho conosciuto i miei cugini Andia, Deida e Willy che vivevano lì.

La mia nuova casa a Pennypack era molto diversa dalla cas in cui vivevo a Porto Rico, ma in senso positivo. La casa era molto più spaziosa e aveva più stanze che ci permettevano di avere più privacy e spazio personale. Era meraviglioso avere così tanto spazio per muoversi.

Io e mia cugina Melissa siamo diventate sorelle e andavam ovunque insieme. Ci siamo travestiti per Halloween, siam usciti con gli amici intorno all'isolato, ci siamo fatti le unghie e abbiamo fatto letteralmente tutto insieme.

Ben presto Pennypack Street divenne per me molto più c un semplice indirizzo; è diventato un luogo a cui ho senti un senso di appartenenza. I vicini amichevoli mi hanno accolto a braccia aperte e la comunità affiatata ha reso faci stringere nuove amicizie. Dalle feste di quartiere ai barbec improvvisati, c'era sempre qualcosa che accadeva in Pennypack Street.

Uno dei momenti più belli della vita in Pennypack Stree era frequentare la vicina Thomas Holmes School.

Il mio primo anno alla Thomas Holme School, da dove comincio?

È stato un bel giro sulle montagne russe. Ho iniziato in seconda emcntare e, arrivando da Porto Rico, mi sono ritrovata in un mondo mpletamente nuovo, circondata da una lingua che capivo a malapena e senza amici al mio fianco. È stata dura, per usare un eufemismo.

Non conoscere l'inglese ha reso tutto due volte più impegnativo. ompiti semplici come ordinare il pranzo o chiedere indicazioni sono iventati enormi ostacoli per me. Spesso mi sono ritrovato a sentirmi erso e frustrato, incapace di esprimermi pienamente o di capire cosa dicevano gli altri.

la sai cosa? Nonostante le difficoltà iniziali, non mi sono mai arreso. ro determinato a sfruttare al massimo il tempo trascorso alla Thomas olme School, qualunque cosa accada, e poco a poco le cose iniziarono a cambiare in meglio.

Ricordo la mia prima insegnante, la signora Brown, era redibilmente paziente e comprensiva. Si è assicurata di scomporre le se per me, usando immagini e gesti per aiutarmi a cogliere la lingua. Devo ammettere che a volte è stato un po' imbarazzante, ma... gentilezza e l'incoraggiamento della signora Brown mi hanno fatto andare avanti. Purtroppo morì quell'anno, riposi in pace.

causa della mia barriera linguistica, ho dovuto ripetere la seconda elementare.
Poi ho avuto la signora Norton, l'insegnante che consideravo la nigliore di sempre, ed è stato allora che il mio inglese ha iniziato a migliorare.

Quando arrivai in terza elementare, accadde qualcosa di straordinario.
Finalmente sapevo l'inglese!

È stato un traguardo davvero importante per me e non vedevo l'or di iniziare a comunicare con i miei compagni di classe e fare nuov amicizie.

Non sapevo che questo sarebbe stato l'inizio di un'amicizia che durerà tutta la vita.

Una delle prime persone con cui sono entrato in contatto è stata u ragazza di nome Nina. Io e Nina dal momento in cui ci siamo incontrati è stato come se ci conoscessimo da sempre. Siamo diventati presto inseparabili e il nostro legame si è rafforzato ogn giorno che passa.

Da bambini condividevamo segreti, ridevamo insieme e ci sostenevamo a vicenda sia nei momenti belli che in quelli brutti.

Ci siamo trovati anche a diventare piuttosto popolari a scuola. È stata un'esperienza davvero surreale per due ragazzini come no ma ci siamo abbracciati! È stato incredibile testimoniare il potere dell'amicizia e come questa possa colmare il divario tra culture, lingue e background diversi. La nostra amicizia è diventata un catalizzatore di unità e accettazione all'interno della nostra scuola

Nina e io abbiamo condiviso innumerevoli avventure insieme, d dormire a casa dell'altro, all'acquistare snack a Wawa prima della scuola, all'uscire con la sua famiglia e molto altro ancora. Abbiam riso, abbiamo pianto e abbiamo creato ricordi che sarebbero dura tutta la vita.

La terza elementare è stata senza dubbio uno dei migliori anni olastici della mia vita. Non solo ho avuto insegnanti fantastici e ho stretto amicizie fantastiche, ma la mia famiglia si è anche sferita in una nuova casa su Outlook, il che ha reso tutto ancora più emozionante.

La casa su Outlook era un vero gioiello!
Era molto più grande e più bello di quello di Pennypack. Dal nomento in cui varchi la porta principale, rimarrai stupito dalla spaziosità e dalla bellezza di questo posto.
Melissa e io condividevamo la stanza e avevamo sempre amici a casa. Il cortile era il punto forte di questa casa, avevamo una piscina e una bellissima vista sul campo da golf.

ro anche felice del fatto che la mia nuova casa fosse molto più cina alla scuola, a pochi isolati di distanza. Ricordo quanto fossi emozionato quando scoprii che la scuola era solo a un paio di olati di distanza. È stata una sensazione meravigliosa uscire di sa la mattina e intraprendere una breve e piacevole passeggiata verso la scuola.

urante quelle passeggiate verso la scuola, mi fermavo spesso a casa di Nina, che abitava a poche case dalla mia, e la nostra amicizia sbocciò ancora di più durante quell'anno scolastico.

idacchiavamo e chiacchieravamo dei nostri programmi per la giornata, anticipando con impazienza le avventure che ci aspettavano a scuola.

Capitolo 4

Relazioni e rifiuti

Crescendo, mi sono sempre sentito un outsider, desideroso di accettazione e amore da parte di coloro che mi circondavano. Sembra che, non importa quanto ci provassi, incontravo sempre il rifiuto. Il rifiuto che ho provato per la sensazione di non essere cresciuto con miei genitori ha lasciato un impatto duraturo sulla mia autostima e su mia fiducia. Ho iniziato a costruire muri attorno al mio cuore, temen che se avessi lasciato entrare qualcuno, alla fine avrebbe ferito anche me. Questa sensazione di essere indesiderato e non amato mi ha segu per tutta la mia infanzia e fino all'adolescenza, finché non ho incontra il potere trasformativo dell'amore e della grazia di Dio. Continuiamo leggere questo capitolo.

In quarta elementare, Nina e io eravamo ancora migliori amiche. Trovavamo sempre il tempo per giocare a doppio olandese durante ricreazione e sederci insieme allo stesso tavolo a pranzo. La nostra amicizia si estendeva anche oltre la scuola, dato che spesso ci vedevan nei fine settimana. Quelli erano giorni pieni di risate, divertimento innumerevoli ricordi. Sia che stessimo esplorando il quartiere, facen pigiama party o andando all'avventura, io e Nina eravamo inseparab Ricordo anche quelle cotte alle elementari,

È stato un periodo così divertente e innocente, pieno di nuovi sentimenti e scoperte entusiasmanti. Una persona che mi ha fatto battere il cuore è stato un bambino che per qualche motivo io e Ni pensavamo fosse così carino. È divertente ripensare a quei giorni e come ridacchiavamo e sussurravamo di lui durante la ricreazione o l' di pranzo.

ra divertente e bello. Ricordo di aver sentito le farfalle nello stomaco
ni volta che era nei paraggi. Era un misto di eccitazione e nervosismo,
ı sapere cosa dire o come agire. Quelli furono i momenti che resero la
mia scuola elementare così memorabile.

per qualche ragione, non potevo dirgli che mi piaceva o scrollarmi di
osso la sensazione che non gli piacevo davvero. So che può sembrare
sciocco soffermarsi su queste cose della nostra infanzia, ma è stato
rante quel periodo che ho iniziato a riconoscere il dolore del rifiuto e
delle insicurezze.
rescendo ho avuto la tendenza a confrontare e mettere in discussione
stesso e le mie relazioni. Ho spesso provato un senso di abbandono e
ıo portato con me quel bagaglio emotivo man mano che crescevo.

divertente come le nostre esperienze infantili possano modellare il
odo in cui percepiamo e affrontiamo le relazioni più avanti nella vita.
er me è stato difficile fidarmi completamente e aprirmi a qualcuno,
mendo che anche lui mi avrebbe lasciato, proprio come ha fatto mia
adre. Ciò ha portato ad un costante bisogno di rassicurazione e alla
ura del rifiuto. Tuttavia, il sentimento di insicurezza e di rifiuto non
era legato esclusivamente all'assenza di mia madre. Ciò è stato
teriormente aggravato dalle esperienze che ho avuto mentre vivevo
on mia zia. Anche se mi ha accolto e ha provveduto ai miei bisogni
primari, c'era un innegabile vuoto emotivo nella nostra relazione.

ra che sono più grande, mi ritrovo a riflettere sulla mia infanzia e su
anto vorrei essere cresciuto sia da mia madre che da mio padre. Le
sfide e le difficoltà che ho affrontato crescendo mi hanno reso
ofondamente consapevole dell'impatto che un ambiente domestico
abile e amorevole può avere sul benessere di un bambino. Crescere
nza entrambi i genitori presenti nella mia vita è stata senza dubbio
a. Non posso fare a meno di chiedermi come sarebbero potute essere
erse le cose se avessi sperimentato l'amore e il sostegno di mia madre
e di mio padre.

Nel corso della mia vita ho affrontato la mia giusta dose di problem relazionali e non è sempre stato facile. Ho lottato con sentimenti d abbandono, bassa autostima e il dolore di essere umiliato o trascurato.

A volte, ci troviamo in situazioni in cui ci sentiamo come se fossimo costantemente delusi o lasciati indietro. Questi sentimenti abbandono possono innescare insicurezze profondamente radicate rendere difficile la fiducia negli altri. È difficile non mettere in discussione il nostro valore quando ci chiediamo costantemente perché qualcuno dovrebbe scegliere di allontanarsi da noi.

L'umiliazione può anche svolgere un ruolo significativo nel modo cui percepiamo noi stessi nelle relazioni. Quando siamo ripetutamente soggetti a imbarazzo o ridicolizzazione, è naturale iniziare a dubitare del nostro valore. Potremmo iniziare a credere c non meritiamo amore e affetto, e questo può avere un profondo impatto sulla nostra capacità di formare connessioni sane con gli altri.

La negligenza, intenzionale o meno, può essere incredibilmente dannosa per il nostro senso di autostima. Quando ci sentiamo ignorati o trascurati, ciò può portare a sentimenti di insignificanz solitudine. Potremmo iniziare a chiederci perché non siamo abbastanza importanti da ricevere l'attenzione e la cura che desideriamo.

Ma ecco cosa ho imparato oggi.

Non siamo definiti dalle nostre esperienze passate o dalle sfide ch abbiamo affrontato. Abbiamo il potere di guarire e crescere da qu momenti difficili.

Oltre al fatto, in quarta elementare, tutto cominciò ad andare a posto e il mio mondo cominciò ad avere un senso.

Anch'io sono stato adottato.

Nonostante il rapporto che avevo con mia madre adottiva da bambino. Non posso fare a meno di sentirmi benedetto e ɔpraffatto dalla gratitudine quando penso al mio padre adottivo. stata una presenza incredibile nella mia vita, qualcuno che mi ha amato e sostenuto incondizionatamente.

quel momento ho finalmente sentito una seconda possibilità di licità e un senso di appartenenza. Mi sono ritrovato circondato da una famiglia, da amici fantastici e sono diventato anche piuttosto popolare a scuola.

cordo la sensazione di entrare in classe ogni mattina, accolto da sorrisi calorosi e saluti amichevoli. I miei amici di quarta mentare erano davvero eccezionali. Erano il tipo di amici che ti vano sempre le spalle, che ti facevano sentire accettato e amato sattamente per quello che eri. La quarta elementare ha portato on sé un senso di appartenenza e di scopo. Ho scoperto i miei punti di forza e i miei interessi e sono stato incoraggiato a perseguirli con tutto il cuore. Che fosse attraverso la rtecipazione alle attività scolastiche, mettendo in mostra la mia atività o eccellendo a livello accademico, ho avuto un ritrovato senso di scopo e direzione.

a, ovviamente, non durò così a lungo, mesi dopo ricevetti una ɔtizia inaspettata da mia zia che sconvolse il mio mondo. Mi è stato detto che dovevo tornare nel mio paese, la Repubblica Dominicana.

Non ho mai capito del tutto perché mia zia abbia deciso di riportarmi nella Repubblica Dominicana.
Da quanto ho capito, era perché vivevo illegalmente negli Stati Uniti, ma onestamente sentivo che c'era di più.

Ricordo vividamente quel momento della mia infanzia in cui mi diede la notizia che sarei tornato nella Repubblica Dominicana. All'età di 10 anni, devo ammetterlo, fui colto da un'ondata di rabbi che non avevo mai sperimentato prima. Mi ero abituato alla vita ch avevo costruito qui. Il pensiero di lasciare indietro i miei amici, la scuola e tutto ciò che mi era familiare era semplicemente troppo d: sopportare. Non riuscivo a capire perché dovevo lasciare tutto alle spalle e ricominciare da capo. Mi sentivo come una piccola barca lanciata in un mare in tempesta, incapace di controllare il proprio destino.
La rabbia crebbe dentro di me, alimentando sentimenti di frustrazione e confusione.

Ora, da adulto, rifletto su quel periodo con una prospettiva divers: Innanzitutto ci tengo a sottolineare che non nutro più alcun risentimento nei confronti di mia zia e per le sue decisioni.
La benedico e la perdono.
Riconosco che a quel tempo prese delle decisioni preoccupate per benessere della sua famiglia.

Ero troppo giovane per comprendere appieno la complessità dell leggi sull'immigrazione e le sfide che avrebbero potuto affrontare per sapere esattamente cosa stava succedendo. Alla fine, ciò che co di più è il modo in cui scegliamo di andare avanti rispetto alle nos esperienze passate.

Ma a quel tempo sapevo semplicemente che mi stavo lasciando alle spalle gli amici, la scuola e l'unica casa che ora conoscevo.

Il momento più emozionante della mia vita è stato quando ho dovuto dare la notizia ai miei amici e compagni di classe che sarei tornata nel mio paese proprio prima di iniziare la scuola media. È stata sicuramente un'esperienza piena di lacrime per tutti noi, mentre continuavo a spiegare le ragioni della mia rtenza, le lacrime hanno cominciato a salire nei miei occhi. Ho fatto del mio meglio per trattenerli, ma le emozioni erano ravolgenti. Mi sono guardato intorno e ho notato che anche i miei amici e compagni di classe erano emotivi. Era difficile vederli sconvolti, sapendo che il nostro tempo insieme stava volgendo al termine.

ıche questa parte della mia vita è stata confusa ed emozionante per me, poiché ero alle prese con la perdita di familiarità e ıcertezza di ciò che mi aspettava nella Repubblica Dominicana.

Devo ammettere che ero piuttosto spaventato e nervoso.

Continuavo a pensare tra me e me, ricorderei abbastanza gnolo per comunicare con tutti? Mi avrebbero accettato come ıo di loro, anche se avessi trascorso gran parte della mia vita in un paese diverso?

Non ero sicuro di cosa aspettarmi.

Seconda parte

Abbracciare l'amore di Dio per superare le prove della vita

Living in the Dominican Republic

I miei anni al liceo

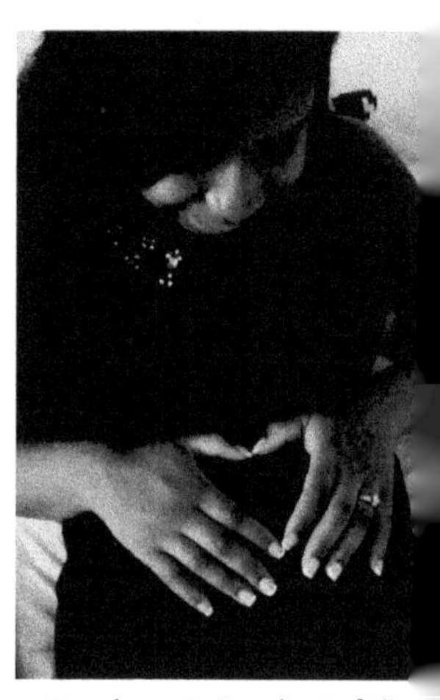

Quando ero incinta di mio figlio

Di nuovo negli Stati Uniti

La mia laurea
all'Università di Phoenix.

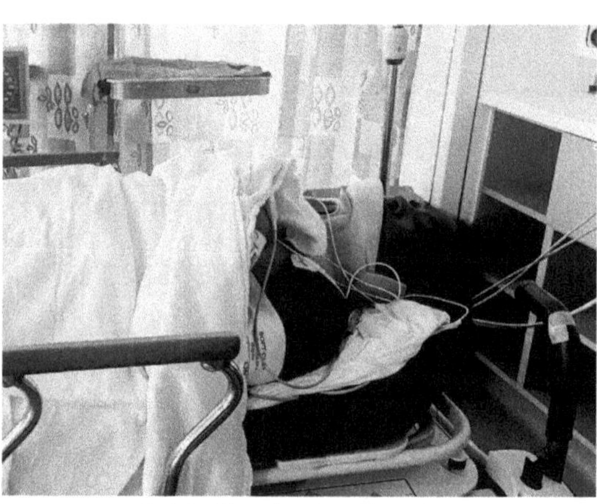

Il mio incidente d'auto in cui ho quasi
perso la vita.

Capitolo 5

La Romana

ꓤitornare nella Repubblica Dominicana dopo aver vissuto negli
ati Uniti è stato uno dei momenti più tristi della mia vita. È stato
ın turbinio di emozioni, lasciandomi alle spalle il posto che ero
rivato a chiamare casa, gli amici che avevo stretto e la lingua che
avevo imparato.

cordo che scesi dall'aereo provai un misto di eccitazione e ansia.
Sapevo che tornare nel mio paese d'origine significava
:ongiungersi con la mia famiglia e il mio ambiente familiare, ma
gnificava anche affrontare le sfide legate al riadattamento a una
vita che mi ero lasciata alle spalle anni fa.

Uno dei maggiori ostacoli che ho dovuto affrontare è stata la
riera linguistica. Negli Stati Uniti avevo imparato bene l'inglese e
i ero abituato a comunicare senza sforzo con chi mi circondava.
tornando nella Repubblica Dominicana, mi sono reso conto che
mio spagnolo si era arrugginito. Era frustrante inciampare nelle
ıe parole e lottare per esprimermi come avevo fatto una volta in
do così fluido. Un'altra fonte di tristezza è stata lasciare alle spalle
gli amici che avevo conosciuto negli Stati Uniti. Avevamo
diviso innumerevoli ricordi e avventure ed è stato straziante dire
dio a ognuno di loro. Sapevo che mi sarebbero mancati le loro
ıte, il loro sostegno e la loro compagnia. Mi sentivo come se un
pezzo del mio cuore fosse stato lasciato indietro.

Ciò significava anche riadattarsi a uno stile di vita diverso. Il ritmo della vita era più lento e le differenze culturali erano pi pronunciate. Ci è voluto del tempo per adattarmi e trovare il m posto in questo nuovo ambiente. Mi mancavano la comodità l'efficienza della vita negli Stati Uniti, ed era difficile lasciare andare il comfort e la familiarità a cui mi ero abituato.

Uno dei fattori più importanti che mi ha aiutato ad adattarmi a mia nuova vita è stata la presenza di mia nonna, ovviamente "Mamma Luisa era con me. Stare di nuovo con lei ha portato senso di conforto e familiarità che ha reso la transizione molt più agevole. Averla al mio fianco mi ha fatto sentire sicuro e rassicurato che tutto sarebbe andato bene.

Non solo mi ha fornito supporto emotivo, ma mi ha anche aiutato ad affrontare gli aspetti pratici della mia nuova vita. Dall'insegnarmi di nuovo come orientarmi nel quartiere, all presentazione di nuovi amici, si è assicurata che avessi tutti g strumenti di cui avevo bisogno per prosperare in questo nuo ambiente.

Alla fine ho trovato conforto nel riconnettermi con la mia famiglia e con volti familiari.

Col passare del tempo mi sono abituato sempre di più alla m nuova vita. I sentimenti iniziali di incertezza e disagio hann lentamente lasciato il posto a un senso di appartenenza e familiarità. E durante tutto questo processo, mia nonna è rim la mia costante fonte di amore e sostegno.

Come si suol dire, tutte le cose belle devono finire.
rrivò il momento in cui mia nonna dovette tornare a casa sua a Porto Rico. È stato un addio agrodolce, pieno di lacrime e omesse di rimanere in contatto. Non sapevo che questo avrebbe gnato l'inizio di un incubo che non avrei mai potuto prevedere.

Mi sono ritrovato ancora una volta a vivere da una casa all'altra, nza mai avere un posto da chiamare casa. Il senso di stabilità che evo sperimentato brevemente con mia nonna era ora sostituito da incertezza e cambiamento costante.

Ogni mossa ha comportato una nuova serie di sfide e aggiustamenti.
Ho dovuto adattarmi ad ambienti diversi, routine diverse e volti versi. È stato estenuante, sia fisicamente che emotivamente. Il stante sradicamento mi faceva sentire perso, come se fluttuassi senza meta in un mare di incertezza.

rante il mio soggiorno nella Repubblica Dominicana, ho avuto esperienza di spostarmi circa dieci volte diverse o più, se non sbaglio.

o iniziato a notare un sottile cambiamento nel mio umore. Fu rante questo periodo che credo che la mia depressione iniziò a prendere piede. Il costante sconvolgimento e la mancanza di bilità hanno messo a dura prova il mio benessere mentale. Ho dovuto adattarmi alle nuove routine, familiarizzare con un ambiente sconosciuto e dire addio al senso di familiarità e conforto che offre una casa stabile.
Mi ha lasciato disorientato e disconnesso.

Il primo posto in cui ho vissuto è stato con mio zio. Tío Puro e la su ragazza, Margo. Non è stata una brutta esperienza e oggi sono grat perché anni dopo è venuto a mancare il mio caro zio che amavo tan Ma mentre vivevo con loro, Margo è stata gentile e comprensiva e r ha fatto sentire il benvenuto a casa sua. Tuttavia, le circostanze son cambiate e ho dovuto trasferirmi di nuovo.

Poi mi sono ritrovata a vivere con il vicino della porta accanto. Er una dinamica diversa, ma ho apprezzato la sua disponibilità a darmi posto dove stare durante quel periodo.

Successivamente, ho finito per vivere con la famiglia della mia migliore amica Dorys. Fin da quando ero bambina, si sono sempr presi cura di me e mi hanno amata come un'altra figlia. Hanno ape le loro porte senza esitazione, trattandomi come uno di loro. È stat confortante avere il suo amore e il suo sostegno e sarò sempre grat per loro. Ciò che ha reso la sua famiglia così speciale per me è stato suo amore incondizionato e la sua accettazione. Non mi hanno m fatto sentire un estraneo vivendo con loro, ma mi hanno invece accettato come parte della loro famiglia.

Poi mi sono ritrovata a vivere con mia zia, che era un'altra storia Ho anche potuto stare con parenti da parte di mia madre biologic Com'è la vita, vero?

Ebbene, è così che l'ho passato, vivendo da una casa all'altra. Quest diventato un evento regolare e ogni volta che dovevo mettere ir valigia le mie cose mi sentivo come se stessi strappando via una pa della mia anima. È stato difficile stabilire un senso di appartenenza stabilità nella mia vita. Desideravo un posto che potessi chiamare c un posto dove potessi sentirmi al sicuro, amato e protetto.

orse ti starai chiedendo perché fino ad ora non ho menzionato mio padre in questo libro.

Beh, la verità è che non sono cresciuto con mio padre al mio ianco, ma questo non significa che non lo amo. Gli sono grato er avermi messo al mondo e per il sostegno finanziario che mi a fornito quando ne avevo bisogno. Tuttavia, quando si tratta i una connessione emotiva, è qualcosa che non ho mai sentito veramente con lui finché non sono cresciuta.

Crescendo, io e mio padre abbiamo avuto una relazione a distanza.
icorda che sono stato cresciuto da mia nonna, sono andato a orto Rico, dove vive, ma poi sono partito per gli Stati Uniti, e poi sono stato di nuovo nella Repubblica Dominicana.

on passavamo molto tempo insieme e le nostre conversazioni ano spesso limitate ad argomenti superficiali, ma a me andava bene
Sono sicuro che anche lui aveva i suoi problemi personali.

a in realtà ci siamo avvicinati quando mi sono trasferito con la sua allora moglie.

Capitolo 6

Perso nell'oscurità

Ero così depresso che a volte avrei desiderato non aprire mai più gli occhi.

La mia vita è stata davvero come un giro sulle montagne russe piena di colpi di scena che non avrei mai previsto. Da quando ho scoperto che mia nonna, la donna che avevo sempre creduto essere mia madre, non era il mio genitore biologico.

Poi sono dovuto tornare nel mio paese, la Repubblica Dominicana, dopo essermi sentito come se fossi finalmente a casa negli Stati Uniti e mentre cercavo di venire a patti con questa rivelazione,
a peggiorare le cose, mi sono ritrovato a vivere di casa in casa senza mai avere un posto che potessi chiamare veramente casa.

Questo costante stato di instabilità mi ha lasciato fisicamente e emotivamente esausto. Ogni mossa sembrava un altro colpo al mio già fragile stato d'animo. La combinazione del sentimento abbandono, della lotta per adattarsi a una nuova vita e della continua mancanza di stabilità ha messo a dura prova la mia salute mentale.

Sono sprofondato più profondamente nell'oscurità della depressione, perdendo speranza e motivazione lungo la strada

'inizio vivere con la nuova fidanzata di mio padre era un incubo.

Sembrava che provenissimo da mondi diversi e sembrava che lei non mi capisse. Sono sicuro che il sentimento fosse reciproco.

on potevo fare a meno di sentire che mi vedeva come una sorta di minaccia, qualcuno che le avrebbe portato via mio padre o qualcosa del genere...

h, ho dimenticato di dire che mio padre usciva con la sorella di argo, con cui vivevo anche prima che mio padre la incontrasse, davo molto d'accordo con loro, sento che questo ha reso le cose ncora più difficili per noi nel connetterci e trovare un terreno comune.

Però mi sono ritrovato a parlare di più con mio padre.

È come se tra noi si fosse sbloccato un livello completamente uovo di connessione. E in quelle conversazioni, ho trovato il coraggio di condividere con lui che non stavo andando bene.

a come faccio a dire a uno sconosciuto in quel momento, una ersona che conoscevo a malapena, la mia matrigna, che stavo attraversando un periodo di depressione?

o provato un vortice di sentimenti contrastanti, che andavano a solitudine alla tristezza, dall'ansia alla depressione e persino un nso di abbandono. La solitudine si insinuò mentre lottavo per connettermi con la mia matrigna a un livello più profondo.

Passarono i mesi e ci stavamo ancora conoscendo, e ci è voluto tempo per costruire un legame. Ci sono stati momenti in cui r sentivo come un estraneo a casa mia, desiderando la familiarit della mia precedente dinamica familiare.

Non sapevo più cosa provare. È stato un turbinio di emozioni c mi ha lasciato costantemente in discussione sui miei pensieri sentimenti. A volte mi sentivo grato di avere almeno un tetto sopra la testa e un letto in cui dormire, ma poi c'erano moment cui mi sentivo incredibilmente solo. È stato durante quei mome che ho sentito un profondo senso di perdita e desiderio.

Anche l'ansia divenne una compagna costante durante quest periodo.

La paura di non essere accettata o amata dalla mia matrigna pes molto sulla mia mente. Temevo se mi sarei adattato alla sua vit mi avrebbe capito e se saremmo mai riusciti a connetterci davv Era una battaglia continua di dubbi e preoccupazioni.

Alcuni giorni sembrava che una nuvola nera incombesse su di rendendo difficile trovare gioia o motivazione.
Ho faticato a trovare uno scopo e ho dovuto lavorare duro p mantenere una mentalità positiva.

Provare un senso di abbandono è stata forse una delle emozic più difficili da superare.

uindi, immaginati, all'improvviso mi sono ritrovato a vivere con la ragazza di mio padre che conoscevo a malapena.

Era sicuramente una situazione interessante, per usare un eufemismo.

ò che lo rendeva ancora più strano era il fatto che in realtà era lei la mia insegnante. Sì, hai sentito bene. La donna con cui ora condividevo uno spazio di vita era la mia insegnante.

e ho già detto che era cristiana?

uando andai a vivere con la mia matrigna, non sapevo molto di). Crescendo, mia nonna era cattolica e ogni tanto andavamo in iesa la domenica, ma la mia comprensione di Dio era piuttosto superficiale.

Col passare del tempo, ho iniziato ad osservare le sue abitudini quotidiane.
scorreva del tempo in preghiera e a volte la trovavo a leggere la Bibbia. Per qualche motivo non potevo fare a meno di esserne attratto.

Una sera ho avuto il coraggio di chiederle della sua fede. Volevo capire il suo rapporto con Dio, con il cristianesimo in ierale. Mi ha spiegato pazientemente le basi del cristianesimo e ha condiviso come la sua fede aveva trasformato la sua vita.

ata una conversazione che ha piantato un seme di curiosità nel mio cuore.

Capitolo 7

Un incontro divino

Nel mezzo della mia depressione, mi sono ritrovato a desidera
di saperne di più su Dio. Ero alla disperata ricerca di risposte,
speranza e di una via d'uscita dall'oscurità che sembrava
consumarmi. Un giorno, ho raccolto il coraggio di pregare e
ho chiesto di aiutarmi, per favore, e mi sono trovata in ginocch
a riversare il mio cuore e la mia anima a Dio, implorando aiuto
stato un momento di vulnerabilità e onestà, mentre mi chiede
se Dio esistesse veramente. Ho supplicato con sincerità,
chiedendo un segno, un barlume di speranza che potesse
ristabilire la mia fede.

Ho gridato: "Se sei reale, per favore, per favore aiutami".

Era una preghiera semplice, piena di sincerità e di un desider
genuino di trovare conforto nella Sua presenza. Non sapevo c
aspettarmi, ma ho mantenuto un barlume di fede che forse, so
forse, Dio avrebbe ascoltato la mia supplica.

Con l'arrivo delle notti, arrivavano anche le mie lacrime, c
scendevano lungo le mie guance in un flusso infinito. Ricor
come se fosse ieri, era un sabato sera, quella notte ho pianto fi
addormentarmi per la disperazione.

Quella domenica mattina la mia matrigna mi si avvicinò con un nvito che avrebbe cambiato per sempre la mia vita. Mi ha invitato ad unirmi a lei per un servizio nella sua chiesa. Incuriosito e di mentalità aperta, ho accettato il suo invito, ignaro del profondo incontro con Dio che mi attendeva.

uando mi invitò ad andare in chiesa con lei, sentii ribollire dentro me un misto di nervosismo e curiosità. Essendo qualcuno che non eva mai messo piede in una chiesa cristiana prima, non ero sicuro di cosa aspettarmi. Ma nel profondo sapevo che questa era 'opportunità di crescita e di nuove esperienze, quindi ho deciso di abbracciarla a cuore aperto.

trando in chiesa sono rimasta subito colpita dall'atmosfera calda ed accogliente. Il senso di comunità e unità all'interno della congregazione era palpabile e mi sono sentito subito a mio agio. scoltando il sermone, mi sono trovato affascinato dalle parole di saggezza e grazia del predicatore. Ogni frase risuonava ofondamente dentro di me, stimolando la mia anima in modi che n avevo mai sperimentato prima. Era come se il predicatore stesse parlando direttamente a me, affrontando i dubbi e le paure che leggiavano nella mia mente. A metà del suo sermone, fece una pausa e disse:
C'è qualcuno qui oggi che ha bisogno di sentire questo. Il Salmo 27:10 dice: "Anche se tuo padre e tua madre ti abbandonano, il Signore ti accoglierà"

Mentre stava davanti alla congregazione, pronunciando il suo mone con passione e convinzione, non ho potuto fare a meno di otare il suo sguardo indagatore. Era come se i suoi occhi fossero ratti da me, alla ricerca di una connessione, di una comprensione condivisa che andasse oltre le semplici parole che pronunciava.

Quando mi ha chiamato con il mio nome, sono rimasto scioccato non ho potuto fare a meno di provare un senso di anticipazione e curiosità. Non sapevo che questo incontro mi avrebbe toccato il cuore in un modo che non avrei mai potuto immaginare.

Quando cominciò a pregare per me, fu come se avesse una vision divina della mia vita. Ha parlato di tutto quello che ho vissuto fin c piccola, di mia madre che mi ha lasciato, del mio vuoto e della mi solitudine, raccontando momenti e fatiche che non avevo mai condiviso con nessuno. È stato allo stesso tempo scioccante e confortante realizzare che Dio era a conoscenza di ogni dettaglic del mio viaggio.

Mentre le sue parole risuonavano nel santuario, ho sentito un profondo senso di pace travolgermi. Il predicatore parlava con incrollabile convinzione, assicurandomi che Dio aveva uno scop unico per la mia vita. Era come se i cieli stessi si fossero aperti, rivelando un percorso destinato esclusivamente a me.

Ha anche rivelato uno scorcio del futuro che mi attendeva. Mi sussurrò parole di rassicurazione, annunciando che presto sarei tornato negli Stati Uniti. È stata una rivelazione che ha riempito mio cuore di speranza e anticipazione, poiché desideravo ricongiungermi con la terra che mi aveva plasmato per quello ch sono.

Ma il messaggio profetico del predicatore non finisce qui. Parlò di benedizioni che avrebbero superato i miei sogni più sfrenati, benedizioni che avrebbero toccato non solo la mia vita r anche coloro che mi circondavano. È stata una proclamazione maestosa che ha acceso un fuoco dentro di me, il fuoco di viver una vita con uno scopo e fare la differenza in questo mondo.

Le lacrime mi sono salite agli occhi quando ho sentito una
resenza, che poi ho scoperto che era la presenza dello Spirito
ianto che mi avvolgeva. Era una sensazione travolgente, una
connessione profonda con un potere superiore che avevo
siderato per tutta la vita. In quel momento, sapevo che Dio mi
va cercando, offrendomi il Suo amore, la Sua comprensione e
la Sua guida.

parole del predicatore risuonarono profondamente nella mia
anima. Era come se Dio mi stesse parlando direttamente,
cordandomi che non ero sola nelle mie difficoltà. Il peso dei
ardelli che avevo portato per così tanto tempo cominciò ad
allentarsi, sostituito da un senso di pace e rassicurazione.

quel momento sacro, ho capito che Dio era stato con me in
ni passo del cammino, anche durante i momenti più bui. Mi
aveva visto attraverso le sfide, i crepacuori e i momenti di
bbio. È stata una rivelazione profonda che mi ha riempito di
gratitudine e di un rinnovato senso di scopo.

ntre pregava per me, un'ondata di emozioni mi ha travolto e
entito un legame indescrivibile con qualcosa di più grande di
. Era come se l'universo si fosse allineato, guidandomi verso
un percorso di illuminazione e redenzione.
quella potente preghiera, ho accettato Gesù nel mio cuore.

d ogni parola pronunciata, il mio cuore si apriva sempre di
più, abbracciando l'amore e la grazia che Gesù offriva. Ho
ovato un profondo senso di liberazione, come se il peso del
mondo mi fosse stato tolto dalle spalle.

Da quel giorno in poi la mia fede si è rafforzata, questo incontro co
Dio ha trasformato la mia vita per sempre. È stato un momento di
intervento divino, un incontro con l'Onnipotente che mi ha fornit
tutto ciò di cui avevo bisogno per andare avanti e intraprendere u
viaggio di perdono e auto-trasformazione.

In quell'incontro ho capito che il perdono non era solo una scelta,
ma anche un potente strumento di guarigione e di crescita. Dio m
ha mostrato che trattenere la rabbia e il risentimento era come
portare un peso che mi appesantiva, intrappolandomi in un ciclo c
dolore. Ha sussurrato dolcemente al mio cuore, esortandomi a
liberarmi dalle catene dell'amarezza e ad estendere il perdono a
coloro che mi avevano fatto del male. In quel momento ho capitc
che perdonare non significa condonare le azioni degli altri o
dimenticare il dolore che hanno causato. Si tratta di liberarci dall
catene del passato, liberare l'energia negativa che ci lega e fare spaz
all'amore e alla gioia per riempire ancora una volta i nostri cuori. I
presenza di Dio mi ha riempito di un rinnovato senso di scopo e
forza. Mi ha ricordato che non sono definito dai miei errori passati
dalle azioni dolorose degli altri. Mi ha assicurato che ho il potere c
cambiare la mia vita, di creare un futuro pieno di amore,
compassione e perdono.

Quell'incontro con Dio continua ad essere una svolta significativ
nella mia vita. Serve come un costante promemoria del Suo
incrollabile amore e della Sua presenza. Ogni volta che affronto l
difficoltà, traggo forza da quel momento, sapendo che non sonc
solo.
Sarò per sempre grato per la preghiera del predicatore e per il toc
divino che ho sperimentato, perché ha plasmato la mia fede e mi
avvicinato a Dio.
Mentre scrivo e ricordo questo momento, sono in lacrime.

Capitolo 8

Affrontare le tempeste con Resilienza

La mia vita ha preso una svolta completa in meglio, è davvero
orprendente come la mia prospettiva sulla vita sia cambiata e ora
vedevo le cose sotto una luce completamente nuova.

Passavo la vita sentendomi perso e disconnesso. Alla costante
cerca di significato e scopo, ma nel momento in cui ho aperto il
mio cuore a Dio, tutto è cambiato.

lo provato un travolgente senso di pace e conforto. Era come se
n peso mi fosse stato tolto dalle spalle e non mi sentissi più sola
in questo mondo. Sapevo che Dio era con me, guidandomi in
ogni fase del mio viaggio.

Con questa fede ritrovata, ho iniziato a vedere la bellezza nelle
cose più semplici. Ho iniziato ad apprezzare i piccoli momenti
che prima trascuravo. È stato come vivere la vita per la prima
volta, con il cuore pieno di gratitudine.

mio rapporto con la mia matrigna è migliorato notevolmente,
arò per sempre grato alla mia matrigna per avermi condotto a
o e avermi mostrato il percorso verso l'illuminazione spirituale.

Inoltre, anche i miei rapporti con gli altri sono fioriti. Ho iniziato vedere le persone non solo come individui, ma come figli di Dio, meritevoli di amore, gentilezza e perdono.

Nel regno del perdono accadono i miracoli. Modellano i nostri cuori, guariscono le nostre ferite e liberano i nostri spiriti.

Ho perdonato mia mamma per il dolore che mi ha causato, per l'assenza che ha lasciato un segno indelebile nella mia anima. Ho capito che anche lei aveva le sue battaglie, le sue stesse fatiche da affrontare. Attraverso il perdono, ho liberato il peso della rabbia e d risentimento e, in cambio, ho trovato un ritrovato senso di pace.

Ho perdonato mia zia e il resto della mia famiglia per le incomprensioni e i conflitti che avevano tormentato le nostre relazioni. Ho visto che portare rancore non faceva altro che perpetuare il ciclo del dolore. Quindi, ho scelto di liberarmi da qu ciclo e di abbracciare il perdono.

Ho perdonato chiunque mi avesse ferito in qualunque modo o forma.

E, cosa più importante, ho perdonato me stesso. Avevo portato co me il senso di colpa e il senso di colpa per troppo tempo. Mi son reso conto che ero solo umano, incline agli errori e alle imperfezioni. Perdonando me stesso, mi sono liberato dalle cater dell'insicurezza e dell'autopunizione.

Mi sono reso conto che trattenere il risentimento mi avrebbe sol tenuto intrappolato nel passato. Quindi, con cuore coraggioso e aperto, ho scelto il perdono.

mia vita improvvisamente ha iniziato ad avere di nuovo un senso. pezzi del puzzle si sono incastrati e ho capito che ogni esperienza, ogni sfida mi aveva portato a questo momento di chiarezza.

Ho terminato il mio anno scolastico al "Colegio Bíblico Cristiano" mi sono ritrovato circondato da straordinari amici cristiani, sono diventato il migliore amico di Claudia e Marielvis.

Attraverso la loro fede incrollabile, mi hanno insegnato la vera essenza dell'amore, della gentilezza e della compassione. Il loro ostegno e la loro genuina amicizia mi hanno fatto capire che non ero mai solo nel mio viaggio.

Il cammino della fede non è privo di ostacoli, ma ho imparato a superarli con grazia e resilienza. Abbiamo affrontato prove e bolazioni, ma siamo rimasti fermi nella convinzione che il nostro po fosse più grande di qualsiasi avversità che abbiamo incontrato.

Come nuovo credente ho capito che ognuno ha il proprio scopo co nella vita. Proprio come ogni fiocco di neve è diverso, lo sono he le nostre chiamate e i nostri contributi individuali al mondo. È damentale ricordare che Dio ha creato ognuno di noi con talenti, ni e passioni specifici e desidera che li usiamo per servire Lui e gli altri.

Scoprire il tuo scopo nel servire Dio può richiedere tempo e zienza. È un viaggio alla scoperta di sé, alla ricerca della guida di o e alla crescita nella fede. Il tuo scopo potrebbe essere quello di vire attraverso atti di gentilezza, evangelizzazione, insegnamento, usica o innumerevoli altri modi. Abbraccia la tua unicità e abbi ucia che Dio ti guiderà lungo il percorso che ha preparato per te.

Un giorno, mentre tornavo a casa da scuola, un senso di anticipazione mi riempì il cuore. Non sapevo che questo giorno avrebbe segnato una svolta nella mia vita, un momento che mi avrebbe messo sulla strada verso i miei sogni.

Ricordi il predicatore che profetizzò sulla mia vita che sarei tornato negli Stati Uniti?

Ho ricevuto la notizia che il mio visto era pronto. Il mio cuore sussultava di gioia, perché sapevo che questo era l'adempimento della profezia del predicatore. Era come se l'universo avesse cospirato per allineare tutti i pezzi della mia vita, aprendo la strada a questa incredibile opportunità.

In quel momento ho capito che non si trattava solo di una semplice coincidenza; è stato un intervento divino, una manifestazione della mia fede incrollabile e del potere di Dio.

Credevo che Dio avesse uno scopo per ogni singola esperienza che ho incontrato durante il mio viaggio. Mentre rifletto sulle prove e sui trionfi che mi hanno plasmato nella persona che sono oggi, sono pieno di un profondo senso di gratitudine e stupore per la saggezza divina che mi ha guidato attraverso tutto questo.

Nei momenti di oscurità e disperazione, quando la vita sembrava insopportabile, è stato lo scopo di Dio a fornirmi la forza per perseverare. Ogni ostacolo che ho affrontato è stato un trampolino di lancio verso uno scopo più grande, insegnandomi lezioni preziose e modellando il mio carattere.

.o scopo di Dio non era quello di proteggermi dal dolore o dalle ifficoltà, ma piuttosto di affinare il mio spirito e darmi la forza di liventare la versione migliore di me stesso. Ogni lacrima versata, gni momento di dubbio, è stato un passo necessario verso la mia :rescita e trasformazione. Le sfide che ho dovuto affrontare non vevano lo scopo di spezzarmi, ma di trasformarmi in un vaso di amore, compassione e forza. Ritornare nella Repubblica ominicana è stato come un pellegrinaggio per me. È stata più di na semplice visita nella mia patria; è stato un risveglio spirituale, un incontro divino con l'Onnipotente.

Oggi esprimo la mia profonda gratitudine per l'esperienza di sformazione che ho avuto nella Repubblica Dominicana. È stato un viaggio che non solo mi ha portato faccia a faccia con me tesso, ma mi ha anche permesso di incontrare Dio in un modo rofondo e che mi ha cambiato la vita, di essere stato testimone ılla bellezza e della fragilità e di aver incontrato Dio in mezzo a tutto.

ono così grato per le lezioni apprese, le prospettive acquisite e la fede che è stata rafforzata.

La Repubblica Dominicana è diventata per me una scuola, gnandomi lezioni preziose sulla gratitudine, la compassione e il vero significato della fede.

sono reso conto che le mie lotte e preoccupazioni impallidivano spetto a quelle affrontate dagli altri, ed è stato attraverso questa consapevolezza che mi sono veramente arreso a Dio.

Dopo quattro anni nella Repubblica Dominicana, sono finalment
tornato negli Stati Uniti e non riesco nemmeno a esprimere quant
mi sentissi grato.

Gli Stati Uniti occupano un posto speciale nel mio cuore ed ero pi
che entusiasta di ricongiungermi con i miei cari e di intraprender
un nuovo capitolo della mia vita.

Non riuscivo a contenere la mia eccitazione mentre salivo sull'aer
per tornare negli Stati Uniti. L'attesa di tornare nel mio paese
d'origine mi ha riempito di un travolgente senso di gioia e felicit
Quando l'aereo atterrò su un terreno familiare, non potei fare a
meno di sentire un'ondata di emozioni che mi attraversava.

Scendendo dall'aereo, ho fatto un respiro profondo, inalando il
profumo familiare della mia terra natale. È stato come un caldo
abbraccio, che mi accoglieva di nuovo a braccia aperte. Le immag
e i suoni del vivace aeroporto mi hanno riempito di un senso di
appartenenza, come se fossi finalmente tornato al luogo a cui
appartenevo veramente.

Guidando per le strade, non potevo fare a meno di apprezzare l
piccole cose che mi erano mancate. La comodità di tutto, l'efficien
e la facilità di comunicazione erano tutte cose che prima avevo d
per scontate. Ora sembravano un lusso che potevo apprezzare
appieno.

Riconnettersi con i miei cari è stata un'esperienza davvero
commovente. Gli abbracci, le risate e le storie condivise mi hanr
fatto sentire come se non fossi mai stato lontano. Il legame che
avevamo costruito nel corso degli anni è rimasto indissolubile
tornare con loro ha dato un senso di completezza alla mia vita.

Ma uno dei cambiamenti più grandi che ho dovuto fare è stato
ndare al liceo. Dopo aver trascorso diversi anni in un paese diverso,
era strano essere circondato da un nuovo gruppo di compagni di
:lasse e insegnanti. Tuttavia, mi sono rapidamente ambientato e ho
ovato il mio posto nella comunità scolastica. Alla Abraham Lincoln
Iigh School, gli insegnanti mi hanno supportato e mi hanno aiutato
l affrontare le sfide legate al ritorno al sistema educativo americano.

liceo è stato un vortice di nuove esperienze e opportunità. Mi sono
iscritto ai club, ho rivisto alcuni dei miei vecchi amici delle
ementari e ho stretto amicizia con alcuni incredibili lungo la strada,
la mia migliore amica era Navi, è diventata come mia sorella.
Parliamo a malapena, ma lei avrà sempre un posto speciale nel mio
cuore.

Ia è stata una transizione interessante, soprattutto durante gli anni
el liceo. È stato come entrare in un mondo completamente nuovo,
un mondo pieno di feste, eventi sociali e una vivace cultura
olescenziale che non avevo mai sperimentato appieno prima. Sono
stato improvvisamente esposto a un ambiente frenetico in cui
ocializzare e uscire sembrava essere la norma. Sembrava che tutti
pianificassero costantemente feste, riunioni e altri eventi.
izialmente, sono rimasto sorpreso dall'intensità e dalla frequenza di
queste attività sociali. Tuttavia, col passare del tempo, mi sono
ritrovato ad abbracciare questo nuovo aspetto della cultura delle
cuole superiori americane. Ho iniziato a partecipare alle feste e ad
ere coinvolto nella scena sociale. Ho anche iniziato a frequentarmi.

Il mio primo ragazzo è stato Kenny di cui mi sono innamorata
profondamente al liceo, ma non ha avuto una buona influenza.
L'ho imparato nel modo più duro.

Anni dopo, mentre lavoravo come donna delle pulizie in una palestr chiamata La Fitness, ho incontrato il mio primo marito e la mia vita cambiata nel modo più bello. Mio marito ed io abbiamo avuto la fortuna di vivere una vita meravigliosa insieme, fatta di alti e bassi. Aveva un lavoro fantastico che non solo ha soddisfatto le nostre esigenze ma ci ha anche permesso di godere di molti piaceri della vi Non era solo un fornitore, ma anche il mio più grande sostenitore credente nelle mie capacità. La sua incrollabile fiducia in me mi ha d la sicurezza necessaria per apportare un cambiamento significativo a mia carriera. Mi ero sentita insoddisfatta del mio lavoro di donna de pulizie e senza direzione. Tuttavia, con il suo incoraggiamento e motivazione, ho fatto un atto di fede e ho iniziato a lavorare come cassiere di banca e da allora ho lavorato nelle banche. Il nostro viagg insieme ci ha portato anche al momento felice in cui abbiamo accol nel mondo nostro figlio Liam, che è la luce della nostra vita.

Ma sfortunatamente è stato deportato in Messico.

Quando è stato improvvisamente deportato, ho avuto la sensazione avesse perso una parte di me. Ma in mezzo alle lacrime e al dolore, trovato dentro di me una forza che non avrei mai saputo esistesse. I sono reso conto che crogiolarmi nell'autocommiserazione non m avrebbe portato da nessuna parte. Doveva prendere una decisione. lasciare che questa situazione mi consumi o superarla. E così, ho pr la decisione consapevole di diventare più forte che mai. Attravers questo periodo difficile, ho scoperto la mia resilienza e la mia forz interiore. Mi sono reso conto che avrei potuto superare qualsiasi ostacolo mi si fosse presentato.

Dato che mio marito aveva i suoi genitori e una casa, ho deciso c portare mio figlio in Messico a vivere con suo padre mentre mi adattavo a questa situazione.

uando io e mio figlio siamo arrivati in Messico per la prima volta, per noi era un mondo completamente nuovo. Liam, essendo il gazzo resiliente e adattabile che è, ha rapidamente stretto amicizia e ha iniziato ad immergersi nella cultura messicana.

ivere in Messico ha dato a Liam un'opportunità unica di imparare na nuova lingua e crescere con amore. Accettò con entusiasmo la fida e presto imparò a parlare correntemente lo spagnolo. È stato incredibile assistere alla sua crescita e vederlo comunicare senza forzo. Spesso tornava a casa con entusiasmo condividendo storie sulle sue avventure, sui nuovi amici e sulle affascinanti tradizioni essicane che aveva imparato ad amare. Come madre e per tutte le perienze che ho vissuto, è stato toccante e agrodolce vedere Liam occiare in Messico. Non volevo che attraversasse le difficoltà e le sfide che ho dovuto affrontare io mentre cresceva. Volevo che avesse un percorso diverso, forse più facile, nella vita. Ma è stato commovente testimoniare l'immenso amore e il sostegno che ha icevuto dalla famiglia di suo padre. Da quando siamo arrivati, lo anno accolto a braccia aperte, trattandolo con tanto amore. Sono iventati il suo sistema di supporto, le sue cheerleader e i suoi più grandi fan. Lo facevano sentire come se appartenesse e fosse eciale. Vederlo legare con i suoi nonni, zie, zii e cugini, persino con i suoi vicini, è stata un'esperienza davvero bellissima.

hanno inondato di amore, cura e guida e hanno anche condiviso on lui le sue tradizioni, storie e valori, arricchendo la sua identità ulturale in modi che non avrebbe mai potuto immaginare. Sono diventati parte integrante della sua vita, trasformandolo nella persona incredibile che è oggi e non potrei esserne più grato.

Dopo la deportazione di mio marito e la difficile decisione di portare mio figlio Liam in Messico, sapevo che il nostro viaggio era lungi dall'essere finito. Determinato a darci un futuro migliore, sono tornat negli Stati Uniti con il cuore pieno di speranza e con la determinazion di apportare un cambiamento positivo. Allo stesso tempo, al mio ritorno, ho dovuto affrontare numerose sfide che sembravano insormontabili. Tuttavia, ho rifiutato di lasciare che questi ostacoli m definissero o mi fermassero. Sapevo che dovevo prendere il controllc della mia vita e creare un percorso migliore per me e Liam. Ho inizia a fare non solo uno, ma due lavori. Stavo svolgendo il lavoro dei mie sogni, turno di giorno presso la Credit Union e turno di notte come specialista del servizio clienti, lavorando instancabilmente spingendor al limite per assicurarci di poter soddisfare i nostri bisogni di base e alleviare il debito che avevamo. Non è stato facile. Le giornate eranc lunghe e le notti ancora più lunghe, ma non ho mai perso di vista il mio obiettivo finale: fornire una casa stabile e sicura a mio figlio. Attraverso il duro lavoro, la perseveranza e la determinazione incrollabile, sono riuscito a saldare tutti i debiti che ci opprimevano. stato un viaggio lungo e arduo, ma ogni sacrificio è valso la pena pe avere l'opportunità di creare un futuro migliore per me e Liam. Ho ri oggi, ma ricordo che crescendo ho affrontato una serie di sfide che r hanno fatto sentire come se nessuno credesse in me, nemmeno la mi stessa famiglia. Era scoraggiante sentire costantemente le mie zie (nc tutte) sussurrare su di me, dubitare delle mie potenzialità e dire che n sarei mai valso a niente o che "non sarei diventata niente", ecco quar si esprimevano in modo brutto Me. Ricordo sempre quel giorno in c li ho trovati a parlare male di me e mi ha fatto ridere. Eccomi qui og in piedi a testa alta e orgoglioso, tutto grazie alla gloria di Dio.

In quel magico giorno del 25 maggio 2018 ho raggiunto un traguar che prima avevo solo sognato. Ho comprato la mia casa. La sensazio di realizzazione e orgoglio che mi ha preso è stata indescrivibile. Era simbolo di tutto il duro lavoro, la resilienza e i sacrifici che aveva fat

n quel momento ho capito che nessuna sfida è troppo grande
ando hai la forza di perseverare. La strada verso il successo non
sempre agevole, ma è nei momenti di avversità che scopriamo
a nostra vera forza e resilienza. Sono la prova vivente che con
leterminazione e fede incrollabile possiamo superare qualsiasi
ostacolo e realizzare i nostri sogni.

;gi, mentre sono seduto nel comfort di casa mia e scrivo questo
libro, mi viene in mente il viaggio che ci ha portato qui.
no grato per le lezioni apprese, la forza acquisita e l'incrollabile
ducia in me stesso che ci ha aiutato a superare i momenti più
difficili.

utti coloro che affrontano sfide, imploro di non perdere mai la
eranza. Credi in Dio e in te stesso, lavora duro e non mollare
nai. I tuoi sogni sono a portata di mano, anche se in questo
nomento sembrano lontani. Ricorda, ogni battuta d'arresto è
un'opportunità per un ritorno.

vita può riservarci sorprese inaspettate, ma è la nostra risposta
queste sfide che ci definisce. Abbraccia il viaggio, perché è
ttraverso le lotte che troviamo il nostro vero potenziale. Sii
siliente, sii coraggioso e continua sempre ad andare avanti,
pendo che hai il potere di creare un futuro migliore per te e i
tuoi cari.

redi nel potere dei tuoi sogni e non dimenticare mai che sei
ace di raggiungere la grandezza. La tua storia è ancora in fase
scrittura e i capitoli migliori devono ancora arrivare, ma devi
lasciare che Dio scriva la tua storia.

Nella vita ci sono anche svolte e sfide inaspettate che spesso possono portarci su percorsi che non avremmo mai immaginat

Uno di questi viaggi è iniziato quando io e il padre di Liam abbiamo deciso tristemente di separarci, portandomi a riportar mio figlio dal Messico. Sebbene le circostanze possano essere cambiate, il nostro legame come famiglia rimane indissolubil

È essenziale ricordare che l'amore non conosce confini. Sebbe la nostra dinamica familiare sia cambiata, l'amore che scorre t me, Liam e suo padre è incrollabile. Abbiamo scelto di supera le nostre differenze e concentrarci su ciò che conta veramente: felicità e il benessere del nostro straordinario figlio.

Durante questo viaggio, ho scoperto che la famiglia va ben ol i rapporti di sangue. La famiglia allargata di Liam mi ha abbracciato a braccia aperte e le sue sorelle sono diventate ur fonte di gioia e sostegno nelle nostre vite. La loro presenza stata a dir poco una benedizione, ricordandomi che l'amore l'accettazione possono essere trovati nei luoghi più inaspetta

La vita mi ha insegnato che la famiglia non è definita dallo st civile o dalla posizione geografica. È definito dall'amore, dal cura e dal sostegno che ci offriamo gli uni agli altri.

Nel bel mezzo di questo capitolo impegnativo, ho imparato ancora una volta il potere del perdono e l'importanza di apprezzare ogni momento.

vita è troppo breve per trattenere il risentimento o soffermarsi su ciò che avrebbe potuto essere. Scelgo invece di concentrarmi sull'incredibile viaggio che attende Liam, suo padre e me.

vece sono pieno di gratitudine per le lezioni apprese e per l'amore che continua a unirci.

ando rifletto sulla mia decisione di sposarmi a 19 anni, sono piena li gratitudine per il coraggio che ho avuto in quel momento. Ci ole un certo livello di maturità e coraggio per assumere un simile pegno in giovane età. Sono grato per l'amore e il sostegno che ho evuto dal mio partner durante quel periodo della mia vita. Quegli anni mi hanno insegnato tanto sulla comunicazione, sul compromesso e sul vero significato della partnership.

Diventare genitore in giovane età è stata una benedizione aspettata. Anche se ha sicuramente presentato una serie di sfide, ono grato per le lezioni che mi ha insegnato sulla responsabilità, altruismo e sull'amore incondizionato. La gioia e la soddisfazione ho provato come genitore vanno oltre le parole. Mi ha permesso rescere in modi che non avrei mai creduto possibili e ha dato alla mia vita uno scopo che adoro.

che se alla fine il mio matrimonio si è concluso con un divorzio, ovo ancora un senso di gratitudine anche per quell'esperienza. È stato un processo doloroso e difficile, ma mi ha insegnato importanza dell'autoriflessione, della crescita personale e della acità di lasciare andare quando necessario. Il divorzio, per quanto ziante possa essere, ha aperto le porte a nuove possibilità e mi ha permesso di dare priorità alla mia felicità e al mio benessere.

Dopo il mio divorzio, ho intrapreso un viaggio per ritrovare l'amore. Non è stata una strada facile, ma ho avuto l'opportunità di uscire con qualcuno e incontrare persone incredibili lungo il percorso. Tra tutte l persone che ho incontrato, ce ne sono due che hanno lasciato un ricord indelebile nel mio cuore, l'uomo italiano di cui mi sono innamorata, e Kevin, la cui prematura scomparsa in un incidente d'auto ha sconvolto mio mondo.

Fin da piccola ho sempre sognato di uscire con un italiano. C'era qualc nella loro cultura, fascino e passione che mi ha affascinato fin dalla giovane età. Il ragazzo italiano mi ha insegnato l'importanza di abbracciare l'amore con tutte le sue complessità e mi ha ricordato il pot della vulnerabilità. Mi sentivo bene con lui in ogni modo. Tuttavia, l vita riserva sorprese inaspettate. Quando ho incontrato Kevin è avvenu una tragedia, stavamo costruendo un bellissimo legame, ma il destinc aveva piani diversi e la vita di Kevin è stata interrotta da un tragico incidente automobilistico. Perderlo è stato un colpo devastante, lasciandomi con un vuoto che sembrava impossibile da riempire. La parte più triste è stata che ero con lui quella notte e sono persino andata in ospedale sperando che stesse bene. La notizia della scomparsa Kevin mi ha scosso nel profondo. I giorni diventarono settimane e le settimane mesi, ma il dolore rimaneva, un ricordo costante del vuotc lasciato dalla sua assenza. Nel mezzo del mio dolore, sono rimasto coltc sorpresa dall'inaspettata reazione della famiglia di Kevin. Cominciaron nutrire il sospetto che avessi in qualche modo contribuito alla sua mo prematura, ma non avevo niente a che fare con quello che gli era succe quella notte. Li perdono e possa riposare in pace.

Ora, mentre guardo avanti, mi aggrappo alla speranza che l'amore ritr la strada nella mia vita. Ho sempre avuto questa preghiera sincera, ur supplica a Dio, di farmi sperimentare il vero amore prima di lasciare questo mondo.

lesi dopo la vita prese una svolta inaspettata. Mi sono anche ritrovato :oinvolto in un incidente stradale, affrontando la possibilità concreta di perdere la vita.

Dopo l'incidente ho provato un misto di gratitudine, paura e incredulità. Gratitudine perché ero ancora vivo, respiravo e potevo edere un altro giorno e, soprattutto, vedere mio figlio. Non potevo fare a meno di contare le mie benedizioni e provare un immenso nso di apprezzamento per la seconda possibilità che mi era stata data.

oltre non posso esprimere abbastanza quanto sono grato alla persona he mi ha trovato nell'incidente d'auto. Mi hanno davvero salvato la ita. Non riesco a immaginare cosa sarebbe successo se non fossero enuti in mio soccorso. La loro rapidità di pensiero e il loro altruismo sono qualcosa che non dimenticherò mai.

traverso l'oscurità di quell'incidente, ho scoperto il vero valore della vita. Ogni respiro, ogni battito cardiaco e ogni momento sono diventati preziosi oltre misura. Ho capito che la vita è un dono, n'opportunità fugace che non va mai data per scontata. Ho iniziato ad apprezzare ogni giorno, non più disposto a sprecare un solo secondo in negatività o questioni banali. La mia fede è diventata :ora una volta la mia luce guida. Ho trovato conforto nel sapere che siste un potere superiore, una forza che veglia su di noi e fornisce rza quando ne abbiamo più bisogno. Mi sono rivolto alla mia fede come fonte di conforto, trovando pace in mezzo al caos. Mi ha segnato ad avere fiducia nel viaggio, anche quando sembra incerto, ad avere fiducia nel potere della resilienza. Ma soprattutto è stata nia famiglia a sostenermi davvero in questo periodo difficile. Mia gina Andia, il mio buon amico Mike e mia zia sono diventati i miei ilastri di sostegno, offrendo amore e incoraggiamento incrollabili.

Mentre rifletto, vedo che a volte dimentichiamo di apprezzare l'incredibile dono che la vita è veramente. Siamo così presi dalle nostre preoccupazioni, stress e desideri che non riusciamo a riconoscere la bellezza e l'abbondanza che ci circondano. È facil dare le cose per scontate. La nostra salute, i nostri cari, le nostre opportunità e perdiamo di vista quanto siamo fortunati ad esser qui. Se avessi perso la vita in quell'incidente d'auto non avrei ma più rivisto mio figlio.

Ma spesso ci ritroviamo a rincorrere il prossimo grande traguard credendo che la vera felicità risieda nel raggiungere i nostri obiettivi o nell'acquisire beni materiali. Siamo consumati da ur costante bisogno di più: più soldi, più successo, più riconoscimento. Crediamo che una volta ottenute queste cose saremo finalmente soddisfatti. Ma la verità è che la vita non è accumulare cose o raggiungere determinati traguardi; si tratta apprezzare ogni momento ed essere grati per ciò che già abbiam

La gratitudine è una forza potente che può trasformare la nostr prospettiva e portare immensa gioia nelle nostre vite. Quando pratichiamo la gratitudine, spostiamo la nostra attenzione da ci che manca a ciò che è presente. Iniziamo a notare le piccole cos un sorriso caloroso, un bel tramonto, una buona tazza di caffè - ci rendiamo conto che questi semplici piaceri rendono la vita davvero degna di essere vissuta.

Essere grati non significa ignorare i nostri problemi o fingere c tutto sia perfetto. Significa semplicemente che scegliamo di apprezzare il bene, anche in mezzo alle sfide. Significa riconosc che la vita è un dono prezioso, pieno di alti e bassi, e trovare il l positivo in ogni situazione.

uindi, mentre affronti gli alti e bassi del tuo viaggio, ricorda il alore della vita. Abbraccia ogni giorno con gratitudine, tieniti stretto alla tua fede e apprezza l'amore e il sostegno della tua niglia. La vita è un bellissimo viaggio pieno di alti e bassi, colpi di scena e deviazioni inaspettate. A volte può sembrare opprimente, soprattutto di fronte a sfide e incertezze. Ma in questi momenti è essenziale mantenere la fede e la fiducia in qualcosa più grande di noi stessi.

iducia nel Piano di Dio. Ricorda che non sei solo in questo iaggio. C'è un piano divino all'opera e tutto accade per una gione. Anche quando le cose sembrano difficili, abbi fede che ha uno scopo per la tua vita. Abbi fiducia nel fatto che Egli ti iiderà attraverso gli alti e bassi e ti condurrà dove devi essere.

La vita è piena di incertezze ed è naturale sentirsi ansiosi o sopraffatti da esse. Tuttavia, invece di resistere all'ignoto, bbraccialo con fede. Abbi fiducia che Dio ha il controllo e ti fornirà la forza e la saggezza per affrontare le sfide che ti si presentano.

corda, la fede non significa avere tutte le risposte o evitare le e. Si tratta di credere in qualcosa di più grande di te stesso e di nfidare nel piano di Dio per la tua vita. Abbraccia il viaggio, sapendo che la tua fede ti porterà attraverso gli alti e bassi.

Abbi fede e confida nel bellissimo percorso che ci aspetta.

Parte terza

fiorire con amore e grazia

Oggi come specialista bancario e autore

Io e mio figlio di 9 anni

Quando ho iniziato a lavorare come specialista bancario

Il mio primo lavoro in banca come cassiere

Capitolo 9

Entrando nello splendore

Ho scoperto una luce radiosa che brilla più luminosa che mai. È
l'interno di questo nuovo splendore che ho abbracciato la bellezza di
vere una nuova me stessa. Ad ogni passo che faccio, sono pieno di un
crollabile senso di ispirazione e determinazione, che mi spinge verso
a vita di infinite possibilità. Lasciare tutto quello che mi è successo in
assato è stata una delle decisioni più potenti che abbia mai preso. È
prendente come un semplice cambio di prospettiva possa trasformare
ompletamente la tua vita e liberarti dalle catene del passato. Lasciare
are pesi, rimpianti e ricordi dolorosi mi ha permesso di abbracciare il
nento presente e creare un futuro migliore per me stesso. Sono finiti i
giorni dei dubbi e delle convinzioni limitanti.
sono liberato degli strati di negatività che una volta mi appesantivano
l loro posto, ho coltivato un giardino di amor proprio e accettazione
di me stesso. Ogni mattina, quando sorge il sole, me lo ricordo
nch'io ho il potere di superare qualsiasi sfida mi si presenti davanti.

vere un nuovo sé significa abbracciare l'autenticità a braccia aperte.
mparato a celebrare la mia unicità e ad accettare i miei difetti, perché
sono ciò che mi rendono meravigliosamente umano.
Non cerco più la convalida degli altri, perché ho capito che l'unica
convalida di cui ho bisogno è quella di Dio e la mia.

Io basto così come sono.

71

Ho coltivato una profonda connessione con le mie passioni e i miei sogni. Ho portato alla luce talenti nascosti e perseguito interessi che hanno infiammato la mia anima. Ad ogni ricerca, i mio spirito si eleva e mi viene in mente il potenziale sconfinato che giace dentro di me. Non sono più limitato dalle aspettative della società. Invece, sono guidato dalla mia intuizione e saggezza interiore. Vivere una nuova me significa anche apprezzare le relazioni che mi elevano e mi sostengono. Mi son circondato di anime affini che mi ispirano a essere la migliore versione di me stesso. Insieme creiamo un arazzo di amore, incoraggiamento e crescita. Ci solleviamo a vicenda, celebrand le vittorie e fornendo conforto nei momenti di lotta.

Arriva un momento in cui dobbiamo trovare il coraggio di lasciarci alle spalle il passato e abbracciare il futuro radioso che attende. È in questo momento di trasformazione che troviamo vera essenza del nostro essere e scopriamo il potenziale illimitat che risiede dentro di noi.

Lasciarsi il passato alle spalle non è sempre un compito facile. C impone di lasciare andare la comoda familiarità a cui siamo abituati e di avventurarci nell'ignoto. Ma è in questo territori sconosciuto che avviene la magia, dove fioriscono la crescita, l liberazione e la scoperta di sé.

Quando liberiamo le catene del passato, ci liberiamo dai fardel che ci hanno trattenuto. Ci liberiamo del peso dei rimpianti, delle delusioni e delle opportunità mancate e facciamo spazic allo splendore del momento presente. È in questa libertà ritrovata che possiamo veramente entrare nel nostro splendor

Aentre ci imbarchiamo in questo viaggio per lasciarci alle spalle il passato, è importante ricordare che non siamo definiti dalle ostre esperienze passate. Non siamo limitati dai nostri fallimenti o definiti dai nostri errori. Invece, siamo modellati dalle lezioni he abbiamo imparato e dalla forza che abbiamo acquisito lungo il percorso.

Ogni passo che facciamo per lasciare il passato alle spalle ci avvicina al nostro sé autentico. Ci permette di abbracciare le ostre vere passioni, sogni e aspirazioni. Ci consente di riscrivere la nostra storia e creare un futuro pieno di amore, gioia e soddisfazione.

In questo processo, è fondamentale circondarci di positività e spirazione. Dobbiamo cercare mentori, guide e compagni che ci elevino e ci sostengano nel nostro viaggio. Il loro incoraggiamento e la loro saggezza ci forniranno la forza e la otivazione di cui abbiamo bisogno per andare avanti, anche di fronte alle sfide.

Lasciarsi il passato alle spalle non è un evento isolato, ma piuttosto una pratica continua. Ci richiede di rivalutare stantemente le nostre convinzioni, comportamenti e modelli e di fare scelte in linea con il nostro sé più elevato. È attraverso questo impegno costante per la crescita che continueremo a irradiare la nostra vera essenza al mondo.

Ricorda che il potere di creare un futuro radioso risiede dentro i te. Abbraccia l'ignoto, lascia andare ciò che non ti serve più ed entra nello splendore del tuo sé autentico.

Capitolo 10

Coltivare la gratitudine e trovare la gioia

Nel bellissimo viaggio della vita, ci sono momenti che ci lasciano sen
fiato, momenti che riempiono i nostri cuori con un senso di meravig
e gratitudine. Questi momenti, anche se apparentemente fugaci, hann
il potere di trasformare la nostra intera prospettiva e avvicinarci alla
vera felicità. È in questi momenti che ci rendiamo conto
dell'importanza di coltivare la gratitudine e trovare la gioia, perché
sono le chiavi per sbloccare una vita piena di abbondanza e
appagamento.

Come ho detto prima, la gratitudine è un potente strumento che ci
consente di riconoscere e apprezzare le benedizioni che ci circondar
ogni giorno. È una mentalità che sposta la nostra attenzione da ciò c
ci manca a ciò che abbiamo, da ciò che è andato storto a ciò che è
andato bene. Quando coltiviamo la gratitudine, ci apriamo a un mon
di possibilità e diventiamo più consapevoli della bellezza che esiste n
più piccoli dettagli della nostra vita.

Trovare la gioia è un'arte che ci richiede di guardare oltre la superfic
di scavare in profondità dentro noi stessi e di abbracciare il momen
presente. È una scelta vedere i lati positivi in ogni situazione, non
importa quanto possa essere difficile. La gioia non è una destinazior
ma uno stato dell'essere che può essere trovato nel più semplice de
piaceri: un caloroso abbraccio, una risata sincera, un tranquillo
momento di riflessione.

Ma come coltiviamo la gratitudine e troviamo la gioia nel caos e nell'incertezza della vita?

izia praticando la consapevolezza, essendo pienamente presenti e :onsapevoli dei nostri pensieri, emozioni e ambiente circostante. uando siamo consapevoli, possiamo apprezzare meglio la bellezza del momento presente e lasciare andare le preoccupazioni per il futuro o i rimpianti del passato.

'n altro modo per coltivare la gratitudine è tenere un diario della atitudine. Ogni giorno, prenditi un momento per riflettere su tre :ose per cui sei grato. Potrebbe essere semplice come il sole che splende attraverso la tua finestra, il suono degli uccelli che cinguettano o la tazza di caffè caldo tra le mani. Riconoscendo onsapevolmente queste benedizioni, alleniamo la nostra mente a concentrarsi sugli aspetti positivi della nostra vita.

roposito, è così che ho iniziato a scrivere, mentre mi immergevo ll'arte del journaling, qualcosa di magico ha iniziato ad accadere. Le parole che una volta erano frammenti sparsi iniziarono a endere forma, formando frasi che risuonavano di significato. Le idee sono sbocciate, intrecciandosi con esperienze sentite e sformandosi in narrazioni in attesa di essere condivise. Era come e il mio diario diventasse un terreno fertile per la creatività, un terreno fertile dove nascevano storie.

l ogni voce, ho scoperto il potere della mia voce e la forza delle mie parole. Ho capito che i miei pensieri avevano valore e meritavano di essere ascoltati. Il journaling è diventato un catalizzatore per la scoperta di me stesso, permettendomi di plorare le profondità della mia immaginazione e scoprire tesori nascosti nella mia mente.

Attraverso l'atto di registrare la mia vita quotidiana, ho portato alla lu
una moltitudine di trame che chiedevano di essere ampliate. Il mio
diario è diventato una tabella di marcia, guidandomi nel percorso ver
la scrittura di libri. Mi ha insegnato la disciplina, poiché mi sono
impegnato a scrivere ogni giorno, affinando le mie capacità e
perfezionando la mia arte. È servito a ricordare che scrivere non è so
un hobby ma un impegno per tutta la vita, uno stile di vita.

Il journaling mi ha permesso di navigare tra le vette e le valli del mi
viaggio creativo. È diventato il mio rifugio durante i momenti di
insicurezza e il mio confidente quando l'ispirazione sembrava scema
Ha fornito conforto in tempi di incertezza, ricordandomi che anche
più piccola delle idee può accendere una fiamma di creatività.

Oggi, mentre tengo tra le mani i miei libri pubblicati, mi vengono
mente gli umili inizi che mi hanno portato qui. Sono grato per la
pratica del diario che mi ha plasmato come scrittore, perché è stato
attraverso le pagine del mio diario che ho scoperto la mia voce, il m
scopo e la mia passione. Trovare la gioia, d'altro canto, richiede che
impegniamo in attività che ci portino una felicità genuina. Potrebb
essere coltivare un hobby, trascorrere del tempo con i propri cari
semplicemente fare una passeggiata nella natura. Quando troviamo
tempo per le cose che ci illuminano veramente, invitiamo la gioia n
nostre vite e creiamo un effetto a catena che diffonde positività a col
che ci circondano.

Ricorda, coltivare la gratitudine e trovare la gioia è un viaggio che d
tutta la vita, che richiede pazienza, perseveranza e volontà di
abbracciare gli alti e bassi della vita. Non si tratta di negare le sfide
ci si presentano, ma piuttosto di scegliere di trovare i lati positivi
concentrarsi sulle cose che ci portano felicità.

Chapter 11

Vivere una vita con uno scopo

La mia vita ha uno scopo, uno scopo che mi spinge ad alzarmi
ni mattina con determinazione e passione. Non importa quanto
sia difficile la strada, so che sono qui per una ragione, e quella
gione è lasciare un segno positivo in questo mondo. Sono una
stimonianza dell'incredibile potere della grazia e della guida di
Dio nella mia vita. Sono Madre, Specialista Bancaria e Autrice,
tutto per la gloria di Dio.

Come madre, ho avuto la fortuna di assistere allo svolgersi del
racolo della vita davanti ai miei occhi e di riempire il mio cuore
on un travolgente senso di gioia e responsabilità. Attraverso le
tti insonni, i momenti teneri e i sacrifici quotidiani, mi viene in
nte l'amore incondizionato di Dio e l'immensa forza che mi ha
dato.

l mio ruolo di specialista bancario, mi è stata data l'opportunità
avere un impatto positivo sul benessere finanziario degli altri.
i impegno a fornire guida, supporto e validi consigli a coloro
he cercano di gestire saggiamente le proprie risorse. Ad ogni
ansazione, mi viene in mente l'abbondanza con cui Dio ci ha
nedetti e la responsabilità di gestirla bene. È attraverso il mio
lavoro che sono in grado di dimostrare integrità, onestà e
mpassione, riflettendo il carattere di Dio in ogni interazione.

Come autore, mi è stata data una piattaforma per condividere i mie pensieri, esperienze e intuizioni con il mondo. Attraverso la parola scritta, cerco di ispirare, elevare e incoraggiare gli altri nel loro viaggio di fede. Che sia attraverso un devozionale, un post sul blog o un post sentito sul mio Instagram. Il mio obiettiv è far luce sulla bellezza e sulla bontà che ci circonda, ricordando ag altri la presenza di Dio in ogni aspetto della nostra vita.

Oggi sono onorato e grato per i molteplici ruoli che ho avuto la fortuna di ricoprire. Riconosco che non è grazie alle mie forze o capacità che riesco ad avere successo, ma attraverso la grazia e il favore di Dio. Mi viene in mente che in tutto ciò che faccio, che s tratti di maternità, attività bancaria o scrittura, alla fine è per la Su gloria. Mi sforzo di onorarlo attraverso le mie azioni, cercando la su guida e saggezza per affrontare ogni fase del mio viaggio.

Nel mezzo dei momenti più bui della vita, quando la disperazione sembra offuscare ogni spiraglio di luce, ricorda che c'è sempre speranza. Anche quando tutto intorno a noi sembra crollare, c'è un forza potente che può risollevarci e guidarci verso un domani più luminoso. Quella forza non è altro che Dio.

Dio, la fonte di ogni amore e compassione, è sempre lì per noi, pronto ad abbracciarci nei nostri momenti di lotta. Comprende i nostro dolore, le nostre paure e i nostri dubbi e ci offre conforto forza. Quando ci sentiamo perduti, Lui è la mano ferma che ci gui sulla retta via. Quando ci sentiamo spezzati, Egli è il tocco gentil che guarisce le nostre ferite e risana il nostro spirito.

È nei momenti di oscurità che la nostra fede viene veramente messa a prova, ma è anche in questi momenti che possiamo testimoniare la potenza dell'amore e della grazia di Dio. La Sua luce risplende più intensamente nei momenti più bui, illuminando i nostri sentieri e conducendoci verso un futuro pieno di speranza e rinnovamento.

Ricordiamo che Egli è il nostro rifugio e la nostra forza, un aiuto sempre presente nei momenti difficili. Confidiamo nel suo disegno divino, sapendo che Egli opera ogni cosa per il nostro bene. Crediamo che, proprio come la notte lascia il posto all'alba, le nostre lotte attuali lasceranno il posto a un domani più luminoso.

E quando la speranza sembra sfuggente, cerchiamo conforto nella preghiera.
Apri il tuo cuore a Dio, perché Egli è un ascoltatore amorevole che desidera alleviare i tuoi fardelli. È sempre con te, pronto ad offrirti conforto e guida, anche nei momenti più bui. Abbi fiducia nel fatto che il Suo amore è più grande di qualsiasi ostacolo tu possa incontrare e che, grazie a Lui, ogni cosa è possibile.

Anche se rifletto sul viaggio della mia vita, mi vengono in mente i momenti incredibili che mi hanno plasmato e guidato verso la persona che sono destinato a diventare.

Da quando ho scoperto che quella donna che avevo chiamato affettuosamente "Mamma Luisa" non era la mia madre biologica. Questa rivelazione ha scosso le fondamenta stesse della mia identità, lasciandomi con domande e incertezze.

Il giorno in cui ho incontrato mia madre per la prima volta rimarrà per sempre impresso nella mia memoria. È stato un momento di connessione e comprensione, tutti i pezzi mancan del puzzle della mia vita.

Il capitolo successivo del mio viaggio mi ha portato negli Stat Uniti, una terra di opportunità e infinite possibilità dove sonc stato adottato

Il momento più amaro in cui sono tornato nella Repubblica Dominicana è stato depresso, ma ho trovato il conforto, la guid un profondo senso di scopo di Dio. Ho scoperto che non ero n sola, che anche nei momenti più bui c'era una luce guida che illuminava il cammino da percorrere. In quei momenti diffici riconosco anche la forza dentro di me che mi ha permesso d perseverare.

Anche se il dolore del mio passato persiste, ho imparato ad accettarlo come parte del mio viaggio. Mi ha plasmato nella persona che sono oggi e sono determinato a utilizzare le mie esperienze per aiutare gli altri che potrebbero attraversare difficoltà simili. Attraverso la condivisione della mia storia, spe di ispirare gli altri a cercare aiuto, a tendere la mano e a nor perdere mai la speranza.

La vita è una serie di alti e bassi, ed è proprio nei momenti più che spesso scopriamo la nostra vera forza. Non sono più defin dalla tristezza che provavo una volta, ma dalla resilienza e da coraggio che ho trovato dentro.

ivere una vita significativa significa uscire dalle nostre zone di
›mfort, perché è nel regno dell'ignoto che scopriamo il nostro
:ro potenziale. Ci impone di accettare le sfide e di affrontare le
nostre paure a testa alta. È in questi momenti di crescita che
riamo veramente, trasformandoci nella migliore versione di chi
possiamo essere.

ivere con uno scopo significa anche coltivare una mentalità di
ratitudine. La gratitudine apre i nostri cuori e le nostre menti
ıll'abbondanza che ci circonda. Ci permette di apprezzare la
ezza nelle cose più semplici e di riconoscere l'interconnessione
tutti gli esseri. Con la gratitudine come bussola, navighiamo
traverso la vita con un senso di meraviglia e stupore. Inoltre,
ere una vita significativa non significa solo realizzarsi a livello
sonale, ma anche avere un impatto positivo sugli altri. Si tratta
tendere una mano a chi è nel bisogno, diffondendo amore e
mpassione ovunque andiamo. Edificando gli altri, diventiamo
aro di luce, illuminando il percorso per coloro che potrebbero
aver perso la strada.

Non è facile. Ci saranno momenti di dubbio e incertezza,
momenti in cui inciamperemo e cadremo. Ma è in questi
›menti che dobbiamo ricordare a noi stessi il nostro scopo, la
tra ragione di essere. Dobbiamo raccogliere la forza dentro di
ıoi per rialzarci, perseverare e continuare ad andare avanti.

Vivere una vita significativa significa uscire dalle nostre zone comfort, perché è nel regno dell'ignoto che scopriamo il nost vero potenziale. Ci impone di accettare le sfide e di affrontar le nostre paure a testa alta. È in questi momenti di crescita ch fioriamo veramente, trasformandoci nella migliore versione chi possiamo essere.

Vivere con uno scopo significa anche coltivare una mentalità gratitudine. La gratitudine apre i nostri cuori e le nostre men all'abbondanza che ci circonda. Ci permette di apprezzare l bellezza nelle cose più semplici e di riconoscere l'interconnessione di tutti gli esseri. Con la gratitudine com bussola, navighiamo attraverso la vita con un senso di meraviglia e stupore. Inoltre, vivere una vita significativa no significa solo realizzarsi a livello personale, ma anche avere impatto positivo sugli altri. Si tratta di tendere una mano a c è nel bisogno, diffondendo amore e compassione ovunque andiamo. Edificando gli altri, diventiamo un faro di luce, illuminando il percorso per coloro che potrebbero aver perso strada.

Non è facile. Ci saranno momenti di dubbio e incertezza momenti in cui inciamperemo e cadremo. Ma è in questi momenti che dobbiamo ricordare a noi stessi il nostro scopo nostra ragione di essere. Dobbiamo raccogliere la forza den di noi per rialzarci, perseverare e continuare ad andare avan

Capitolo 12

Abbracciare l'ignoto e confidare in Dio

Nella vita, spesso ci troviamo ad abbracciare l'ignoto. È come
amminare su un sentiero senza vedere cosa ci aspetta. Può essere
spaventoso, ma anche emozionante. Tuttavia, nonostante le
ncertezze, possiamo sempre confidare in Dio. Ci dà la forza per
affrontare l'ignoto con coraggio e determinazione.
el corso della mia vita, non c'è dubbio che la vita abbia messo alla
rova la mia forza e resistenza. Tuttavia, ora mi rendo conto che
ognuna di queste esperienze è stata una preziosa lezione sotto
mentite spoglie.

vita riesce a insegnarci le lezioni che dobbiamo imparare, anche
si presentano sotto forma di difficoltà. È attraverso queste prove
e scopriamo la nostra vera forza e il nostro potenziale. Ogni lotta
unge da opportunità di crescita e miglioramento personale. Di
onte alle avversità, ho imparato l'importanza della perseveranza.
scoperto il potere della resilienza, di andare avanti anche quando
trada sembra insormontabile. È durante questi tempi difficili che
il nostro vero carattere e la nostra determinazione brillano.

gni battuta d'arresto mi ha insegnato il valore della pazienza. Ho
imparato che il successo non arriva da un giorno all'altro, ma
attraverso uno sforzo costante e una dedizione incrollabile. Il
viaggio può essere lungo e faticoso, ma con pazienza alla fine
raggiungeremo la destinazione desiderata.

Inoltre, ogni delusione mi ha insegnato il significato della gratitudine. È facile dare per scontate le cose quando tutto va liscio, ma di fronte alla delusione ci rendiamo conto del vero valore di ciò che abbiamo. La gratitudine ci permette di apprezzare il momento presente e di trovare gioia anche nelle più piccole vittorie.

Soprattutto, queste lezioni mi hanno insegnato l'importanza della fiducia in me stesso. Nei momenti di dubbio e incertezza è fondamentale avere fiducia in se stessi e avere fiducia nelle proprie capacità. Possediamo una forza interiore che può farci superare qualsiasi tempesta, purché crediamo in noi stessi e nel nostro potenziale.

Nei momenti tranquilli di autoriflessione, non posso fare a meno di sentirmi come se non fossi proprio dove dovrei essere. Non è un sentimento di scontento o disperazione, ma piuttosto un senso di ambizione profondamente radicato e un desiderio di realizzare tutti i sogni che danzano nel mio cuore.

Ho così tante aspirazioni, così tanti obiettivi che desidero raggiungere. Brillano nella mia mente come stelle lontane, in attesa di essere colte e portate nella mia realtà. E credo fermamente che con l'aiuto di Dio manifesterò questi sogni e trasformerò in risultati tangibili.

Ogni giorno mi sveglio con una rinnovata determinazione a fare rogressi verso questi obiettivi. Ricordo a me stesso che la vita è un aggio e che ogni passo che faccio, non importa quanto piccolo, mi vicina alla mia destinazione. A volte è facile perdere di vista questa verità e lasciarsi sopraffare dall'enormità dei miei sogni. Ma sto imparando a fidarmi del processo e ad avere fiducia nelle mie capacità.

Mi sono reso conto che la vita non consiste nel raggiungere una estinazione specifica, ma piuttosto nel viaggio stesso. Riguarda le lezioni apprese lungo il percorso, la crescita sperimentata e la ersona che divento nel perseguimento dei miei sogni. Si tratta di cogliere ogni sfida come un'opportunità di crescita e di utilizzare gli ostacoli come trampolini di lancio verso il successo.

So che la strada da percorrere potrebbe essere piena di ostacoli e incertezze, ma scelgo di affrontarli a testa alta. Capisco che il ccesso non è garantito, ma sono determinato a dare il massimo e n mollare mai. Credo che ogni sogno che ho sia alla mia portata e no disposto a lavorare instancabilmente per trasformarli in realtà.

Quindi, forse non sono ancora dove dovrei essere, ma sono sulla buona strada. Con Dio al mio fianco, ho la forza e la guida per superare qualsiasi ostacolo che si trova sul mio cammino. Sono ducioso che finché continuerò a sognare, a fissare obiettivi e ad gire, raggiungerò traguardi che non avrei mai creduto possibili.

a fine non conta la destinazione, ma il viaggio. E sono grato per ni passo che faccio verso i miei sogni, perché è attraverso questo iaggio che sto diventando la persona che avrei sempre dovuto essere.

Sono innumerevoli i momenti in cui ci troviamo al bivio dell'incertezza. Il percorso da percorrere sembra confuso e ci ritroviamo alle prese con l'ignoto. È durante questi momenti cl dobbiamo imparare ad abbracciare l'ignoto e ad avere fiducia n piano divino di Dio.

All'inizio abbracciare l'ignoto può sembrare scoraggiante, ma è questi territori inesplorati che troviamo crescita, forza e incredil opportunità. È dove scopriamo il nostro potenziale nascosto e rendiamo conto che la nostra capacità di superare le sfide nor conosce limiti. Invece di temere l'ignoto, accogliamolo a bracc aperte, perché è nel mezzo dell'incertezza che impariamo veramente a vivere.

Nel nostro viaggio che abbraccia l'ignoto, è essenziale confida nella guida e nella saggezza di Dio. È la bussola che ci indica giusta direzione e il pilastro della forza che ci sostiene in ogn svolta. Quando confidiamo in Dio, abbandoniamo le nostre preoccupazioni e ansie, sapendo che Egli detiene il progetto d nostra vita.

Avere fiducia in Dio non significa che tutto si svolgerà esattamente come lo immaginiamo. Significa avere fede che anche di fronte alle avversità, Dio ha uno scopo per noi. Signi rinunciare ai nostri desideri e allinearci alla Sua volontà divir Perché è quando lasciamo andare e confidiamo nel Suo piano troviamo pace, contentezza e un rinnovato senso di scopo.

Quindi, abbracciamo l'ignoto e confidiamo nell'amore ncrollabile e nella guida di Dio. Rilasciamo le nostre paure e i nostri dubbi e, invece, coltiviamo uno spirito di coraggio e resilienza. Così facendo, ci apriamo a un mondo di infinite ossibilità e intraprendiamo un viaggio di crescita e scoperta di sé.

Ricorda, quando abbracciamo l'ignoto e confidiamo in Dio, attingiamo a una fonte di forza che risiede dentro di noi. iventiamo gli eroi delle nostre storie, affrontando ogni nuovo pitolo con uno spirito di anticipazione e una fede incrollabile. ndiamo quindi avanti con fiducia, sapendo che non siamo mai soli, perché Dio cammina accanto a noi in ogni passo del cammino.

Abbraccia l'ignoto e confida nel piano divino di Dio.

on siamo stati fatti solo per vivere e morire; siamo stati creati uno scopo. Ognuno di noi ha un ruolo unico da svolgere in esto mondo. Abbiamo talenti, passioni e sogni che aspettano essere scoperti e perseguiti. Ma trovare il nostro scopo a volte può sembrare una battaglia in salita, soprattutto quando affrontiamo ostacoli e incertezze lungo il percorso.

ndo chiediamo a Dio di guidarci, riconosciamo che abbiamo bisogno della saggezza e della guida divine per realizzare il nostro scopo. È un umile riconoscimento del fatto che non ssiamo fare tutto da soli e che abbiamo bisogno dell'aiuto di otere superiore che ci conduca verso la nostra vera chiamata.

Ma come possiamo aprire la porta alla realizzazione e lasciare
impatto duraturo sul mondo che ci circonda?

Il primo passo è ascoltare i sussurri del nostro cuore. Nel profondo di ognuno di noi si trova una chiamata unica, un ve nord che ci guida verso il nostro scopo. Può essere una passio un talento o il desiderio di fare la differenza. Prenditi un momento per mettere a tacere il rumore del mondo e ascolta veramente ciò che il tuo cuore ti sta dicendo. All'inizio potreb essere un debole soffio, ma con pazienza e perseveranza diventerà più forte e chiaro.

Una volta che hai scoperto il tuo scopo, abbraccialo con incrollabile determinazione. Lascia che accenda un fuoco den di te, spingendoti avanti anche di fronte alle avversità. Ricor una vita significativa non è priva di sfide, ma piuttosto è un testimonianza della nostra resilienza e forza. Abbraccia le lezi che derivano da ogni ostacolo, sapendo che sono semplici trampolini di lancio sul percorso verso la grandezza.

Non sottovalutare mai il potere della connessione e della comunità. Circondati di persone che la pensano allo stesso m e che condividono la tua visione e i tuoi valori. Insieme pot elevare, ispirare e creare un effetto a catena che va ben oltre vostro stesso viaggio. Collaborare, sostenersi e celebrare le reciproche vittorie, perché una vita con uno scopo non è u sforzo solitario ma una celebrazione collettiva dello spirito umano.

Nel perseguimento di una vita piena di scopo, è fondamentale
oltivare una mentalità di gratitudine e abbondanza. Conta le tue
nedizioni, non importa quanto piccole, e lascia che la gratitudine
il carburante che ti spinge avanti. Apprezza il momento presente
e trova gioia nei piaceri semplici che la vita offre.

on dimenticare mai Dio e che una vita piena di uno scopo non
riguarda esclusivamente la realizzazione personale ma anche il
vizio agli altri. Trova modi per contribuire al benessere di chi ti
rconda, attraverso atti di gentilezza, volontariato o dedicando i
tuoi talenti a una causa più grande. Restituendo, non solo
ricchisci la vita degli altri, ma crei anche un senso di scopo che
trascende la tua stessa esistenza.

non dimenticare mai il potere della preghiera. Quella semplice
preghiera nella Repubblica Dominicana mi ha salvato la vita.

ıa volta ero perso nel vasto abisso della depressione, prigioniero
miei pensieri e delle mie emozioni. Il peso del mondo sembrava
hiacciare il mio spirito, lasciandomi vuoto, distrutto e privo di
ni senso di identità. Era come se mi fossi perso lungo la strada e
non avessi idea di come ritrovare la via del ritorno.

Ma nel momento più buio, quando non avevo più la forza per
ombattere, mi sono rivolto alle preghiere. Ho riversato il mio
cuore, le mie paure e il mio dolore a un potere superiore,
rendendomi completamente alla presenza divina che credevo
potesse guarirmi. E in quel momento accadde qualcosa di
miracoloso.

Una preghiera mi ha salvato la vita. Mi ha insegnato che anch
nel mezzo della disperazione c'è sempre un barlume di speranz
Mi ha mostrato che non importa quanto mi sentissi distrutto,
non ero mai veramente solo.

Non sottovalutare mai il potere di una preghiera sincera.

Nella vita ci sono momenti in cui ci troviamo sull'orlo della disperazione, in cui tutto sembra crollare intorno a noi e la speranza non diventa altro che un lontano ricordo. È in quest momenti di pura disperazione che una preghiera può essere l nostra grazia salvifica, la nostra luce guida nei momenti più bu

Proprio come una preghiera mi ha salvato dalla depressione, dalla malattia, da un incidente stradale e da molte altre difficol una preghiera può salvare anche te. Abbraccia il potere della preghiera e lascia che integri la sua magia nella tua vita.

Se ti ritrovi perso nel profondo della disperazione, ti esorto a rivolgerti alla preghiera. Consenti a te stesso di essere vulnerabile, apri il tuo cuore e riversa i tuoi desideri più profondi. Abbi fiducia che ci sia un potere oltre la tua comprensione che ti ascolta, ti ama ed è pronto a sollevarti.

Voglio prendermi un momento e dire una preghiera per te

Preghiera

Padre celeste,

Veniamo davanti a te oggi, chiedendo umilmente il tuo perdono per eventuali errori o malefatte che potremmo aver commesso. Riconosciamo che siamo esseri imperfetti, inclini a commettere errori nel giudizio e nell'azione. Ti preghiamo di perdonarci per qualsiasi danno che potremmo aver causato ad altri, consapevolmente o inconsapevolmente. Concedici la forza di imparare dai nostri errori e di sforzarci di essere persone migliori ogni giorno.

Chiediamo anche la tua guida nella nostra vita. La vita può essere piena di incertezze e sfide e talvolta è difficile sapere quale strada intraprendere. Ti preghiamo di illuminare il nostro cammino, ostrandoci le scelte giuste da fare e aiutandoci a discernere ciò che è veramente importante. Possa la tua saggezza guidare le nostre lecisioni e condurci verso una vita piena di scopo e realizzazione.

Chiediamo infine che il tuo amore abbondante ci circondi. Il tuo amore è come nessun altro, incondizionato e onnicomprensivo. r favore, riempi i nostri cuori con il tuo amore, permettendogli di traboccare nelle nostre relazioni, nelle nostre azioni e nei nostri ensieri. Aiutaci ad amare gli altri come tu ami noi, con gentilezza, compassione e comprensione.

Possiamo noi cercare sempre perdono, guida e amore da te, caro Dio.

Amen.

Se solo sapessimo che l'amore di Dio è incondizionato e non conosce confini. Supera ogni comprensione umana, perché è un amore divino che può guarire le nostre ferite più profonde e riparare i cuori spezzati. Quando permettiamo all'amore di Dio di entrare nella nostra vita, invitiamo un potere più grande di noi a guidarci nei momenti più bui.

Quando ci prendiamo un momento per fermarci, per respirare e per invitare l'amore di Dio nei nostri cuori, ci rendiamo conto che non siamo mai soli. Dio è sempre con noi, pronto a sollevarci e a trasportarci attraverso le tempeste della vita.

Nei momenti di disperazione, è la grazia di Dio che ci fornisce la forza e il coraggio per perseverare. È attraverso la Sua grazia che troviamo perdono, la redenzione e la capacità di perdonare noi stessi e gli altri. La sua grazia ci dà il potere di lasciare andare gli errori del passato e di abbracciare un futuro pieno di speranza e di seconde possibilità.

Quando permettiamo all'amore e alla grazia di Dio di entrare nei nostri cuori, diventiamo veicoli della Sua luce in un mondo che spesso si sente consumato dall'oscurità. Possiamo estendere lo stesso amore e la stessa grazia agli altri, offrendo compassione e comprensione in un mondo che ne ha disperatamente bisogno.

Non dimentichiamo che l'amore e la grazia di Dio non sono riservati a pochi eletti, ma sono a disposizione di tutti coloro che li cercano. Indipendentemente dal nostro passato, dai nostri difetti o dai nostri dubbi, l'amore di Dio è sempre lì, aspettando che apriamo i nostri cuori e lo riceviamo.

Ricorda, non importa quali difficoltà o sfide potremmo affrontare, non siamo soli. L'amore e la grazia di Dio sono sempre lì, pronti a edificarci, guarirci e guidarci. Permetti al Suo amore di riempire il tuo cuore e osserva come la Sua grazia trasforma la tua vita.

Allora, cosa mi ha insegnato la vita negli ultimi 30 anni?

Ho imparato innumerevoli lezioni che mi hanno plasmato nella
ersona che sono oggi. Attraverso gli alti e bassi emerge una lezione
importante: c'è sempre la luce alla fine del tunnel.
a vita ha un modo di sorprenderci. Proprio quando pensiamo che
tutto sia perduto, può verificarsi una svolta, portando con sé un
innovato senso di scopo e gioia. È durante questi momenti che ci
ndiamo conto del vero potere della resilienza e dell'importanza di
ion arrendersi mai. Dal dolore di essere stato abbandonato da mia
dre alle benedizioni di essere cresciuto dalla mia amorevole nonna,
gni esperienza mi ha plasmato nella persona che sono oggi. E tra le
prove del sentirsi rifiutato e le montagne russe delle relazioni,
o scoperto una verità profonda che ha trasformato la mia esistenza:
il potere del perdono e l'abbraccio di Dio.
i sono reso conto che avevo una scelta: lasciare che l'amarezza mi
nsumasse o superare il dolore e trovare forza nelle mie circostanze.

È tra le braccia di mia nonna che ho scoperto il potere dell'amore
incondizionato, della resilienza e della bellezza delle seconde
sibilità. Mi ha insegnato che non importa da dove veniamo o quali
le affrontiamo, abbiamo il potere dentro di noi per creare una vita
significativa e propositiva.

Le relazioni, con le loro gioie e dolori, mi hanno insegnato la
vulnerabilità, la fiducia e l'importanza della comunicazione.
o imparato che le vere connessioni si basano su onestà, rispetto e
mprensione reciproca. Attraverso gli alti e i bassi, sono arrivato a
capire che l'amore genuino richiede impegno, pazienza e
disponibilità a perdonare.

Ho anche imparato che a volte, per il nostro benessere, è necessari
dire addio. Quell'addio significa semplicemente che abbiamo
riconosciuto che le nostre strade si sono divergenti e aggrapparsi a
qualcosa che non è più in linea con i nostri valori o obiettivi ci
tratterrà solo. Ci vuole coraggio per liberarci da ciò che non ci serv
più, ma così facendo si aprono opportunità per nuove connessioni p
soddisfacenti che entrano nelle nostre vite.

E quando ho sentito di aver raggiunto il punto di rottura, ho trova
conforto tra le braccia di Dio. È stato attraverso questa connession
divina che ho imparato il vero significato della grazia e il potere d
trasformazione della fede. Con Dio nel cuore, ho trovato la forza d
perdonare coloro che mi avevano ferito e, così facendo, mi sono
liberato dalla prigione del risentimento.

La vita riesce a insegnarci verità profonde se siamo aperti
all'apprendimento. Mi ha insegnato che il nostro passato non ci
definisce, ma piuttosto che sono le decisioni che prendiamo nel
presente a modellare il nostro futuro. Mi ha insegnato che il perdo
non è un segno di debolezza, ma piuttosto un atto di forza e di
liberazione. Mi ha insegnato che non importa quanto buia poss
sembrare la notte, c'è sempre un raggio di speranza che aspetta d
essere scoperto.

Porto dentro di me la saggezza acquisita da ogni esperienza e so
determinato a vivere una vita piena di scopo, amore e perdono.

Quindi invito anche te a impegnarti a vivere una vita piena di sco
amore e perdono. Non lasciare che niente e nessuno ti fermi nel t
percorso verso la realizzazione personale e la felicità.
Ti meriti il meglio!

Conclusione

elle pagine finali del mio libro di memorie, rimango incantato ll'incredibile viaggio che ho intrapreso. È con cuore grato che ifletto su come l'amore e la grazia di Dio mi hanno salvato la vita.

queste pagine ho condiviso alcuni dei momenti più bui della ia esistenza, i momenti in cui mi sentivo distrutto e perso. Ma nonostante tutto, l'amore di Dio ha brillato luminosamente, guidandomi verso un percorso di guarigione e redenzione.

Ho imparato che non importa quanto profondo possa essere bisso della disperazione, c'è sempre speranza. L'amore di Dio è ome un faro di luce, che illumina anche gli angoli più oscuri della nostra anima. È in quei momenti di abbandono che possiamo sperimentare il vero potere della Sua grazia.

nore di Dio mi ha insegnato l'importanza del perdono, sia per altri che per me stesso. È attraverso il perdono che possiamo berarci del peso delle ferite del passato e trovare la libertà nei ostri cuori. È attraverso il perdono che possiamo veramente sbocciare negli esseri radiosi per cui siamo stati creati.

mezzo delle mie difficoltà, sono arrivato a capire che l'amore di Dio non è condizionato. Non richiede perfezione o estazioni. È un amore che ci abbraccia nella nostra fragilità e sussurra parole di conforto e guarigione.

Ho visto miracoli svolgersi davanti ai miei occhi, dove l'amore di Dio ha trasformato vite e portato restaurazione. un amore che non conosce confini, che raggiunge il profondo della nostra anima e infonde vita ai nostri spirit stanchi.

Concludendo questo libro di memorie, ti esorto ad aprire tuo cuore all'amore e alla grazia di Dio. Permettigli di operare nella tua vita, di guarire le tue ferite e di portarti i una nuova stagione di fioritura radiosa.

Non importa cosa potresti dover affrontare, ricorda che n sei mai solo. L'amore di Dio è sempre lì, in attesa di abbracciarti e guidarti verso una vita piena di scopo e gio

Possa questo libro di memorie servire come testimonianz della potenza dell'amore e della grazia di Dio. Possa ispira a cercare la Sua presenza in ogni momento e ad avere fiducia nel Suo piano per la tua vita. E potresti anche tu sperimentare la trasformazione miracolosa che deriva dall’arrenderti al Suo amore.

Con il cuore traboccante di gratitudine, ti saluto.

Possa il tuo viaggio essere riempito dallo splendore dell’amore di Dio.

Domande e risposte su Claritza Rausch Peralta

Domanda: cosa ti ha ispirato a scrivere questo libro di memorie?
sposta: volevo condividere il viaggio della mia vita e le lezioni che
imparato lungo il percorso, nella speranza che possano ispirare e
risuonare con gli altri.

omanda: Quali sono stati i momenti di svolta più importanti nella
tua vita?
sposta: Dai trionfi personali alle sfide inaspettate, questi momenti
hanno plasmato chi sono oggi.

omanda: Come hai scoperto l'amore e la grazia di Dio nella tua
vita?
Risposta: Ancora una volta, durante i miei momenti più bui, ho
vato conforto nella preghiera e ho cercato la guida di Dio. Il suo
ore e la sua grazia si sono gradualmente rivelati attraverso piccoli
miracoli, sostegno inaspettato e forza per superare le sfide.

manda: In che modo l'amore e la grazia di Dio ti hanno aiutato a
superare relazioni difficili o conflitti?
Risposta: L'amore e la grazia di Dio mi hanno insegnato
nportanza del perdono e della comprensione. Estendendo il Suo
amore agli altri, ho potuto affrontare i conflitti con un cuore
compassionevole, favorendo la guarigione e la riconciliazione.

Domanda: quali sono state le persone più significative nella tua vita
come ti hanno formato?
Risposta: Mia nonna “Mamma Luisa” era tutto per me, lo è ancora
Era la mia luce guida, la mia roccia e la mia confidente. Ho
apprezzato i nostri momenti insieme, sia che si trattasse di guardar
una "Novela" insieme, di andare in chiesa con la mia "Madrina"
Eroina, o di prepararmi la colazione e portarmi a scuola "la escuelit

e Liam, mio figlio, essere madre mi ha insegnato innumerevoli
lezioni ed è stata davvero un'esperienza trasformativa. Dal momen
in cui ho tenuto mio figlio tra le braccia, ho capito che la genitorial
è un viaggio che è allo stesso tempo stimolante e gratificante, li an
entrambi così tanto!

Domanda: In che modo la tua educazione ha influenzato le tue
scelte e convinzioni?
Risposta: Esplorare l'impatto della mia famiglia, del mio backgrou
culturale e delle esperienze infantili mi ha aiutato a capire come
hanno modellato la mia prospettiva sulla vita.

Domanda: quali sono le esperienze più memorabili della tua vi
e perché?
Risposta: Crescere con mia nonna è stata davvero una delle
esperienze più memorabili della mia vita, gli incontri che ho
avuto con Dio, un'altra esperienza indimenticabile è stata quan
ero piccola, viaggiando a Porto Rico con i miei cugini e
pregando con loro a casa mia. "La casa di Tia Ana, il giorno i
cui sono diventato genitore è stato innegabilmente uno dei
momenti più incredibili della mia vita e, finalmente, il giorno
cui ho acquistato la mia prima casa è stato il culmine di durc
lavoro, determinazione e un sogno diventato realtà, oh io Nc
posso dimenticare che uscire con la mia migliore cugina Andi
stato anche un momento fantastico.

Ricordi migliori

Travestirmi con i miei fratelli e mia sorella

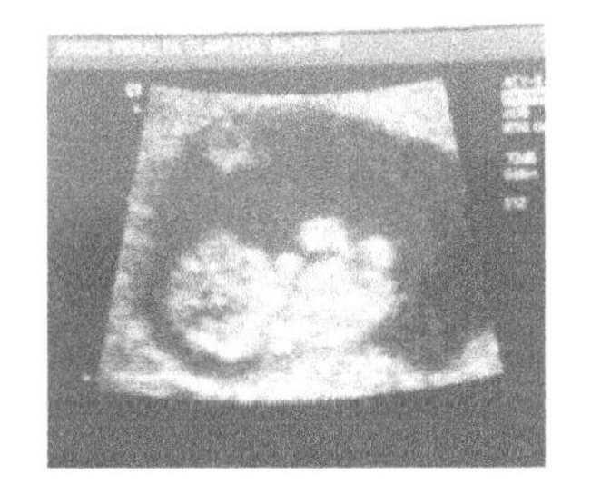

Quando ho scoperto che sarei diventata mamma

My adopted dad , son and family celebration christmas

Mi preparo per andare a lavorare in banca

Celebrating " Mama Luisa" Birthday

Uscire con il mio cugino preferito

La mia prima volta con i miei genitori biologici come famiglia

When I bought my first house

Portare mio figlio nella Repubblica Dominicana e mostrargli dove sono nato

Porto mia sorella e mia madre biologica a Filadelfia con i nostri figli

Nota a sé

Cara Clariza,

entre festeggi il tuo trentesimo compleanno, voglio che tu ti renda un momento per riflettere sull'incredibile viaggio che ti ha portato qui. Hai realizzato così tanto e sono ammirato dalla persona che sei diventata.

rivere questo libro non è stata una coincidenza; era un piano vino messo in moto dal vostro Padre Celeste. Sei stato scelto er condividere la tua storia, per ispirare gli altri e per portare ice nella vita di coloro che leggono le tue parole. Abbraccia iesto scopo e sappi che stai facendo la differenza nel mondo.

Voglio che tu sappia quanto sono fiero di te. Ogni giorno continui a stupirmi con la tua forza, resilienza e eterminazione. Hai affrontato innumerevoli sfide e ostacoli, ma li hai sempre superati. La tua capacità di superare le avversità è una testimonianza del tuo carattere e del tuo spirito.

questo giorno speciale, voglio che tu rilasci la presa del tuo ssato. Perdona coloro che ti hanno ferito, perché trattenere ancore non fa altro che appesantirti. Perdonando gli altri, ti iberi dal peso della rabbia e del risentimento. E ricorda, il rdono non è solo per loro, è anche per te stesso. Consenti a te stesso di andare avanti e di lasciare andare il dolore.

Sei un'anima radiosa, Claritza. La tua bellezza risplende dall'interno e si irradia verso l'esterno, toccando la vita di c ti circonda. Il tuo spirito è contagioso e la tua energia positiva eleva tutti coloro che incrociano il tuo cammino Non sottovalutare mai il potere della tua presenza.

Sei benedetto oltre la tua più sfrenata immaginazione. Cor le tue benedizioni ogni giorno, non importa quanto picco possano sembrare. La gratitudine è uno strumento potent che porta più abbondanza nella tua vita. Riconosci le benedizioni che ti circondano e non darle mai per scontat

Mentre prosegui il tuo viaggio, continua a vivere la vita d tuoi sogni. Hai il potere di creare la realtà che desideri. Persegui le tue passioni, segui il tuo cuore e abbi sempre fiducia nel processo. I tuoi sogni sono a portata di mano credo in te con tutto il cuore, il tuo futuro è un futuro pie di amore, gioia e realizzazione, possa Dio continuare a benedirti e proteggerti sempre.

Continua a brillare e non smettere mai di credere in te ste

Con amore e ammirazione,

Il tuo sé futuro

Ulteriori informazioni su Claritza

Claritza Rausch Peralta è una donna di fede, una madre devota e una specialista bancaria con la passione per la rittura. Attraverso le sue parole ispiratrici, mira a elevare e potenziare i lettori, guidandoli verso una vita piena di scopo, abbondanza e amore. Credendo fermamente nel potere delle affermazioni positive, i libri devozionali di laritza sono progettati per aiutare i lettori a scoprire la loro vera identità e potenziale. Nella sua acclamata opera "Identified: 31 Days of I Am Affermations with Bible erses", fornisce una dose quotidiana di incoraggiamento e saggezza biblica, consentendo ai lettori di dichiarare il proprio valore e di abbracciare le promesse di Dio.

on una profonda comprensione del fatto che l'abbondanza on è riservata solo a pochi eletti, Claritza condivide le sue intuizioni in "Credi che l'abbondanza stia arrivando". ttraverso storie potenti e consigli pratici, ispira i lettori a mbiare la loro mentalità, a liberarsi dai limiti e ad aprirsi lle possibilità illimitate che li attendono. Attingendo alle ue esperienze e alla sua fede, il libro di Claritza "Radiant ove" esplora il potere di trasformazione dell'amore nelle nostre vite. Con aneddoti sinceri e guida spirituale, incoraggia i lettori a coltivare l'amore dentro di sé e radiarlo verso l'esterno, diffondendo gioia e positività a coloro che li circondano.

Oltre ai suoi devozionali, Claritza si dedica alla promozion dell'educazione bilingue. Come autrice bilingue, crede nell'importanza della diversità linguistica e culturale. Attraverso i suoi libri, cerca di colmare il divario tra le diverse comunità, favorendo la comprensione e l'unità. La scrittura di Claritza Rausch Peralta è intrisa di un tono ispiratore che risuona con lettori di ogni ceto sociale. Le su parole danno forza, edificano e incoraggiano, ricordandoc l'immenso potere che abbiamo dentro di noi e l'amore divino che ci circonda.

Attraverso i suoi libri, guida i lettori in un viaggio verso l scoperta di sé, l'abbondanza e l'amore radioso.

Il lavoro di Claritza Rausch Peralta può essere acquistato s varie piattaforme, tra cui Amazon e il suo sito web person